La Farce du Cuvier
et autres farces du Moyen Âge

Traduction par ANDRÉ TISSIER

Présentation, notes, chronologie, et dossier par
MAGALI WIÉNER,
professeur de lettres

Cahier photos par
BÉRENGÈRE RIVOLIER,
professeur de lettres

Flammarion

© Flammarion, Paris, 2001.
Édition revue, 2017.
ISBN : 978-2-0814-0440-3
ISSN : 1269-8822
Création maquette intérieure :
Sarbacane Design.

Composition : IGS-CP.
N° d'édition : L.01EHRN000535.N001
Dépôt légal : février 2017
Imprimé par CPI (Barcelona).

SOMMAIRE

La Farce du Cuvier
et autres farces du Moyen Âge

La farce, spectacle de rue

Avant l'an mil les divertissements généralement proposés sont des spectacles de rue animés par des jongleurs ou des troubadours [1] qui amusent la foule de leurs improvisations. On ne peut pas parler véritablement d'acteurs ou de théâtre : ce sont plutôt des saltimbanques [2] qui n'appartiennent pas à une troupe. La farce hérite sans nul doute de ces petites représentations improvisées et isolées.

Théâtre sacré, théâtre profane

Vers l'an mil un art théâtral digne de ce nom voit le jour. L'heure est à l'organisation, et de véritables troupes de professionnels se forment.

Le théâtre est d'abord religieux (les *mystères*), joué dans les églises. Puis, progressivement, les acteurs jouent sur le parvis des églises et sur les places publiques. La farce, avant d'être représentée seule, conclut sur une note comique une pièce religieuse et édifiante.

---

1. *Troubadours* : poètes et chanteurs.
2. *Saltimbanques* : artistes itinérants qui proposent au public des tours d'adresse.

La farce, dont l'âge d'or se situe entre 1450 et 1550, est donc initialement liée au théâtre sacré, mais les thèmes qu'elle traite s'y opposent radicalement. En effet, elle s'intéresse à la vie quotidienne et met en scène des personnages de tous les jours.

Farce, sotie et moralité

La farce vise un amusement gratuit autour de scènes convenues (la scène de ménage, le trompeur trompé, le mari cocu...) alors que d'autres petites pièces cherchent à faire passer un message plus sérieux.

La sotie jouée par des sots (les fous) est héritière des valeurs du carnaval, comme le révèle l'accoutrement des sots : ils sont vêtus en jaune et vert, coiffés d'un bonnet aux longues oreilles ! La sotie présente une critique virulente et audacieuse de la société comme de ses valeurs. Chaque personnage est l'emblème d'une classe sociale ou d'un pouvoir : l'Église, la justice, la noblesse, les marchands, le peuple, les femmes... C'est un peu plus tardivement que ce genre remportera un vif succès, au début du XVIe siècle, avec *Le Jeu du prince des sots* de Pierre Gringoire, pièce jouée pour le mardi-gras de 1512.

La moralité a pour but d'édifier en dispensant nombre de préceptes moraux que le peuple et le roi sont invités à suivre. Ses personnages représentent des idées abstraites : la honte, le pardon, la gourmandise... Elle n'amuse pas, elle éduque.

Sur les tréteaux[1]

Le succès que remporte le théâtre pousse ses adeptes à se regrouper. Ainsi de nombreuses villes voient naître de joyeuses associations. Leurs membres appartiennent le plus souvent au milieu étudiant, et jouent les jours de fête (foires, venue d'un prince, signature d'un traité de paix, etc.), avant tout pour leur propre amusement. Ces acteurs, qu'on appelle aussi farceurs ou badins, travaillent souvent dans le domaine de la justice (huissier, greffier, commis de procureur, avocat débutant). Pour leur représentation, ils installent une estrade et tendent quelques toiles qui figurent un décor et délimitent d'étroites coulisses[2]. Avec un esprit vif et frondeur, ils pratiquent l'art de la caricature avec talent et aiment faire la satire de la société. Certaines troupes nous sont connues : *Les enfants du sans souci*, *Les Basochiens* (la Basoche désigne la communauté des clercs dépendant des cours de justice), *Les Conards de Rouen*. En revanche, peu de noms d'auteurs nous sont parvenus, car les pièces jouées sont le plus souvent anonymes.

Faire rire

Les acteurs de farces ont souvent le visage enfariné ou taché d'encre, leurs vêtements sont ceux des fous (un acteur célèbre se coiffait de plumes de coq) ou bien empruntés à la vie de tous les

---

1. *Tréteaux* : voir le « Petit glossaire du théâtre », p. 96.
2. *Coulisses* : voir le « Petit glossaire du théâtre », p. 96.

jours. Le comique de leur jeu repose moins sur leur apparence que sur leurs paroles et leurs gestes. Pour faire rire, ils choisissent des thèmes simples et des personnages aimés par le public : le mari trompé, la femme rusée, le naïf, le galant, le vieillard. Les intrigues sont réduites au minimum : il s'agit d'une querelle, d'une tromperie, d'une vengeance. La farce aime représenter des luttes de pouvoir : qui entre le mari ou la femme doit commander ? Le plus jeune ne peut-il pas avoir raison du plus vieux ?...

Un premier pas vers la comédie

Si la farce trouve son inspiration dans des scènes de la vie quotidienne, elle emprunte également certains traits comiques aux comédies latines qui aimaient particulièrement les personnages types (le vieillard avare, le jeune galant, la fille à marier, le valet rusé...). Bien sûr, elle prend ses distances avec cet héritage antique et trouve un ton particulier qui lui est propre. La force du comique de la farce vient de l'oralité : le langage employé est populaire, les expressions familières ne manquent pas, les échanges fusent. C'est ce dynamisme verbal qui fait rire. D'autres dramaturges[1] utiliseront cette virtuosité langagière. Nous pensons, par exemple, à Molière, séduit dès son plus jeune âge par les bateleurs[2] du Pont-Neuf, ou à Beaumarchais. La farce annonce le bel avenir de la comédie.

---

1. *Dramaturges* : voir le «Petit glossaire du théâtre», p. 96.
2. *Bateleurs* : personnages qui font de l'acrobatie ou des tours de magie dans les foires.

CHRONOLOGIE

1100 1492
1100 1492

■ Repères historiques

Repères culturels et littéraires

Repères historiques

1100	Louis VI le Gros, roi de France.
	L'abbé de Saint-Denis, Suger, est conseiller du roi.
1115	Saint Bernard fonde l'abbaye de Clervaux.
1137	Louis VII, roi de France.
1147	Deuxième croisade.
1180	Philippe Auguste, roi de France.
1189	Troisième croisade (Richard Cœur de Lion)
1204	Prise de Constantinople par les croisés.
1216	Fondation de l'ordre des Dominicains.
1223	Mort de Philippe Auguste.
1235	Saint Louis est, roi de France.
1250	Saint Louis est fait prisonnier par les musulmans pendant la croisade.

Repères culturels et littéraires

**Fin du
XIᵉ siècle**

Chanson de Roland.

1122

Début de la construction de l'abbaye de Saint-Denis.

1163

Début de la construction de Notre-Dame de Paris.

1175

Le Roman de Renart (début).

1185

Mort de Chrétien de Troyes.

1194

Début de la construction de la cathédrale de Chartres.

1195

Robert de Boron commence sa trilogie
(*Joseph*, *Merlin*, *Perceval*).

1200

Fondation de l'université de Paris. Début de la grande
production des fabliaux.

1211

Début de la construction de la cathédrale de Reims.

1225-1230

Guillaume de Lorris, *Le Roman de la rose* (début).

1246

Début de la construction de la Sainte-Chapelle (Paris).

1261

Saint Louis interdit sa cour aux jongleurs.

Repères historiques

1270	Mort de saint Louis.
1285	Philippe le Bel, roi de France.
1337	Début de la guerre de Cent Ans.
1346	Défaite française à Crécy.
1347	Épidémie de peste noire (un tiers de population meurt).
1358	Désordre de la Jacquerie, soulèvement paysan ; révolution populaire à Paris.
1380	Charles VI, roi de France.
1392	Folie de Charles VI.
1415	Défaite française d'Azincourt.
1422	Charles VII, roi de France.
1431	Mort de Jeanne d'Arc.
1453	Fin de la guerre de Cent Ans. Chute de Constantinople et effondrement de l'Empire romain.
1461	Louis XI, roi des Français.
1492	Christophe Colomb découvre l'Amérique.

Repères culturels et littéraires

Le Cuvier

Farce nouvelle, très bonne et fort joyeuse
du Cuvier
à trois personnages,
c'est assavoir : Jacquinot, sa femme
et la mère de sa femme.

*Chez Jacquinot. Une salle commune. Le milieu ou l'une des extrémités du
rideau de fond sert de porte ou de sortie sur la rue. Sur un trépied[1] un
cuvier[2] de grande dimension. Autour du cuvier, deux tabourets. Sur une
petite table, une écritoire[3] avec des feuillets de papier.*

1

JACQUINOT *commence.* – Le grand diable m'inspira bien quand je
me mis en ménage[4] ! Ce n'est que tempête et orage ; et je n'ai
que souci et peine. Toujours ma femme se démène[5], comme
un danseur ; et puis sa mère veut toujours avoir son mot sur la
matière[6]. Je n'ai plus repos ni loisir ; je suis frappé et torturé
de gros cailloux jetés sur ma cervelle. L'une crie, l'autre grommelle[7] ; l'une maudit, l'autre tempête. Jour de travail ou jour

5

---

1. *Trépied* : support à trois pieds.
2. *Cuvier* : grande bassine en bois qui sert pour laver le linge.
3. *Écritoire* : petit coffret qui contient tout ce qu'il faut pour écrire (tablette,
plume, encre).
4. *Quand je me mis en ménage* : quand je me mariai.
5. *Se démène* : s'agite violemment, remue sans cesse.
6. *Son mot sur la matière* : son avis sur la question.
7. *Grommelle* : bougonne, se plaint entre ses dents.

de fête, je n'ai pas d'autre passe-temps. Je suis au rang des mécontents, car je ne fais mon profit de rien. *(Haussant le ton.)*
Mais, par le sang qui coule en moi, je serai maître en ma maison, si je m'y mets !…

2

LA FEMME *de Jacquinot entre, suivie de près par sa mère.* – Diable ! que de paroles ! Taisez-vous ! ce sera plus sage.

LA MÈRE, *à sa fille.* – Qu'y a-t-il ?

LA FEMME. – Quoi ? et que sais-je ? Il y a toujours tant à faire ! et il ne pense pas au nécessaire indispensable à la maison.

LA MÈRE, *à son gendre.* – Oui, il n'y a pas là raison ni matière à discuter. Par Notre-Dame ! il faut obéir à sa femme, comme le doit faire un bon mari. Si même un jour elle vous bat, quand vous ferez ce qu'il ne faut pas…

JACQUINOT. – Oh, oh ! sachez bien que je ne le souffrirai [1] de ma vie.

LA MÈRE. – Et pourquoi ? Par sainte Marie ! pensez-vous que, si elle vous châtie et vous corrige [2] en temps et lieu, cela soit par méchanceté ? Non, parbleu ! ce n'est qu'une preuve d'amour.

JACQUINOT. – C'est bien dit, ma mère Jacquette. Mais ce n'est rien dire à propos que de parler si peu franchement. Qu'entendez-vous par là ? Je vous demande explication.

LA MÈRE. – J'entends bien. Je veux dire que la première année de mariage une querelle, cela n'est rien. Entendez-vous, mon gros bêta ?

---

1. *Je ne le souffrirai* : je ne le supporterai pas, je ne l'accepterai pas.
2. *Si elle vous châtie et vous corrige* : si elle vous punit sévèrement et vous bat.

20 JACQUINOT. – Bêta ! Vertu saint Paul, mais qu'est-ce à dire ? Vous
m'accoutrez [1] en beau messire [2] que de me faire si vite devenir
bêta ! J'ai nom Jacquinot, mon vrai nom : l'ignorez-vous ?

LA MÈRE. – Non, mon ami, non ! mais vous êtes néanmoins un
bêta marié.

25 JACQUINOT. – Parbleu ! je n'en suis que trop fâché !

LA MÈRE. – Certes, Jacquinot, mon ami ; mais vous êtes homme
maîtrisé [3].

JACQUINOT. – Maîtrisé ! Vertu saint Georges ! J'aimerais mieux
qu'on me coupât la gorge ! Maîtrisé ! Bénie soit Notre-Dame !

30 LA FEMME. – Il faut agir au gré de [4] sa femme ; oui, vraiment,
quand elle vous le commande.

JACQUINOT, *comme à lui-même.* – Ah ! saint Jean ! elle me commande bien trop d'affaires en vérité.

LA MÈRE. – Eh bien ! pour mieux vous en souvenir, il vous faudra
35 prendre un rôlet [5] et inscrire sur un feuillet tout ce qu'elle vous
commandera.

JACQUINOT. – Qu'à cela ne tienne ! cela sera. Je vais commencer à
écrire.

(Il va à la table, s'assied, prend un rouleau de papier et une plume d'oie.)

LA FEMME. – Écrivez donc, pour qu'on puisse lire. Mettez que
40 vous m'obéirez, que jamais vous ne refuserez de faire tout ce
que moi, je voudrai.

---

1. *Vous m'accoutrez* : vous m'habillez de manière ridicule.

2. *Messire* : titre honorifique équivalent à monseigneur.

3. *Homme maîtrisé* : homme soumis.

4. *Au gré de* : selon la volonté de.

5. *Rôlet* : ici la liste des tâches que doit accomplir Jacquinot. C'est aussi le
diminutif familier de « rôle ». Ainsi, « bien jouer son rôlet » signifie bien jouer son
personnage et « être au bout de son rôlet » ne plus savoir que dire ni que faire.

JACQUINOT, *prêt à jeter sa plume.* – Ah ! corbleu, je n'en ferai rien, sauf si c'est chose raisonnable.

LA FEMME. – Mettez donc là, pour abréger[1] et éviter de me fatiguer,
45   qu'il faudra toujours vous lever le premier pour faire la besogne.

JACQUINOT. – Par Notre-Dame de Boulogne, à cet article je m'oppose. Lever le premier ! et pour quelle chose ?

LA FEMME. – Pour chauffer au feu ma chemise.

JACQUINOT. – Me direz-vous que c'est l'usage ?

50 LA FEMME. – C'est l'usage, et la bonne façon. Retenez bien cette leçon.

LA MÈRE. – Écrivez !

LA FEMME. – Mettez, Jacquinot !

JACQUINOT. – J'en suis encore au premier mot ! Vous me pressez
55   de façon sans pareille.

LA MÈRE. – La nuit, si l'enfant se réveille, il vous faudra, comme on le fait un peu partout, prendre la peine de vous lever pour le bercer, le promener dans la chambre, le porter, l'apprêter, fût-il minuit !

60 JACQUINOT. – Alors, plus de plaisir au lit ! Apparemment c'est ce qui m'attend.

LA FEMME. – Écrivez !

JACQUINOT. – En conscience, ma page est remplie jusqu'en bas. Que voulez-vous donc que j'écrive ?

65 LA FEMME, *menaçante.* – Mettez ! ou vous serez frotté[2].

---

1. *Abréger* : raccourcir, dire les choses rapidement.
2. *Vous serez frotté* : vous serez battu.

JACQUINOT. – Ce sera pour l'autre côté.

(Et il retourne le feuillet.)

LA MÈRE. – Ensuite, Jacquinot, il vous faut pétrir, cuire le pain, lessiver…

LA FEMME. – Tamiser, laver, décrasser…

70 LA MÈRE. – Aller, venir, trotter, courir, et vous démener comme un diable.

LA FEMME. – Faire le pain, chauffer le four…

LA MÈRE. – Mener la mouture [1] au moulin…

LA FEMME. – Faire le lit de bon matin, sous peine d'être bien
75 battu.

LA MÈRE. – Et puis mettre le pot au feu et tenir la cuisine nette.

JACQUINOT, *n'écrivant plus assez vite.* – Si je dois mettre tout cela, il faut le dire mot à mot.

LA MÈRE. – Bon ! écrivez donc, Jacquinot : pétrir…

80 LA FEMME. – Cuire le pain…

JACQUINOT, *vérifiant ce qu'il a déjà écrit.* – Lessiver.

LA FEMME. – Tamiser [2]…

LA MÈRE. – Laver…

LA FEMME. – Décrasser…

85 JACQUINOT, *feignant de ne plus suivre.* – Laver quoi ?

LA MÈRE. – Les pots et les plats.

---

1. *Mouture* : farine obtenue à partir des grains de céréales ou de blé.
2. *Tamiser* : passer dans un tamis.

JACQUINOT. – Attendez, ne vous hâtez pas. *(Écrivant.)* Les pots, les plats...

LA FEMME. – Et les écuelles [1].

90 JACQUINOT. – Palsambleu ! moi qui suis sans cervelle, je ne saurais tout retenir.

LA FEMME. – Aussi, écrivez pour vous en souvenir. Entendez-vous ? Car je le veux.

JACQUINOT. – Bien. Laver les...

95 LA FEMME. – Langes merdeux de notre enfant à la rivière.

JACQUINOT. – À Dieu ne plaise ! La matière et les mots ne sont pas honnêtes.

LA FEMME. – Écrivez donc ! Allez, sotte bête ! Avez-vous honte de cela ?

100 JACQUINOT. – Corbleu ! moi, je n'en ferai rien. Mensonge, si vous le croyez : je ne l'écrirai pas, je le jure.

LA FEMME, *de nouveau menaçante.* – Il faut que je vous fasse injure. Je vais vous battre plus que plâtre.

JACQUINOT. – Eh bien ! je n'en veux plus débattre [2]. Je vais
105   l'écrire, n'en parlez plus.

LA FEMME. – Il ne restera, au surplus [3], que le ménage à mettre en ordre ; et maintenant, à m'aider à tordre la lessive auprès du cuvier, vif et prompt [4] comme un épervier. Écrivez !

JACQUINOT. – Ça y est : fini !

---

1. *Écuelles* : sortes d'assiettes larges et creuses.
2. *Je n'en veux plus débattre* : je ne veux plus discuter de cela.
3. *Au surplus* : en plus.
4. *Prompt* : rapide.

110 LA MÈRE, *avec un air entendu.* – Et puis aussi… vous savez quoi ?
faire à ma fille la bonne chose[1] quelquefois, à la dérobée[2].

JACQUINOT, *à sa femme.* – Vous n'en aurez qu'une giclée par quin-
zaine ou même par mois.

LA FEMME. – Plutôt par jour cinq ou six fois ! C'est ce que je veux,
115 et pour le moins.

JACQUINOT. – Il n'en sera rien, par le Dieu sauveur ! Cinq ou six
fois, vertu saint Georges ! Cinq ou six fois ! Ni deux ni trois ;
corbleu, non, il n'en sera rien.

LA FEMME. – Puisse-t-on n'avoir du rustre[3] que mauvaise joie ! Ce
120 paillard[4] impuissant n'a plus rien qui vaille.

JACQUINOT. – Corbleu ! je suis bien sot et niais de me laisser ainsi
durement mener. Il n'est pas d'homme au monde aujour-
d'hui, qui pourrait prendre plaisir ici. Pour quelle raison ?
C'est que jour et nuit je devrai me rappeler ma leçon.

125 LA MÈRE. – Ce sera écrit, puisqu'il me plaît. Dépêchez-vous, et
puis signez.

JACQUINOT. – Le voilà signé. Tenez ! *(Il pose le rôlet sur la table ; puis
il s'adresse aux deux femmes.)* Prenez garde qu'il ne soit perdu.
Car, en devrais-je être pendu, dès cet instant je me propose de
130 ne jamais faire autre chose que ce qui est dans mon rôlet.

LA MÈRE, *à son gendre en s'en allant.* – Observez-le bien, tel qu'il est.

LA FEMME, *à sa mère.* – Allez ! je vous recommande à Dieu.

---

1. *La bonne chose* : l'amour.
2. *À la dérobée* : en cachette.
3. *Rustre* : homme grossier et brutal.
4. *Paillard* : qui mène une vie joyeuse, faite de plaisirs.

3

LA FEMME, *en parlant à Jacquinot et en se dirigeant vers le cuvier.*
– Allons ! tenez là, sacrebleu ! Faites un effort, suez un peu
pour bien tendre notre lessive : c'est un des points de notre
affaire.

5 JACQUINOT. – Je ne sais ce que vous voulez faire. *(En aparté.)* Mais
qu'est-ce qu'elle me commande ?

LA FEMME. – Quelle bonne gifle tu vas recevoir ! Je parle de lever
le linge, farfadet[1] !

JACQUINOT. – Cela n'est pas dans mon rôlet.

(Il reprend son feuillet et fait mine[2] de chercher.)

10 LA FEMME. – Si, il y est, vraiment !

JACQUINOT. – Non, saint Jean, il n'y est pas !

LA FEMME. – Il n'y est pas ? Si, il y est, s'il te plaît *(et elle le gifle).*
Le voilà, il t'en cuira[3] de le nier !

JACQUINOT. – Holà, holà ! je le veux bien ; vous avez raison, vous
15   avez dit vrai. Une autre fois, j'y penserai.

*Jacquinot et sa femme prennent position autour du cuvier, l'un en face de
l'autre, debout sur un tabouret. La femme tire du cuvier un petit drap
d'enfant.*

LA FEMME. – Tenez ce bout-là ; tirez fort !

---

1. *Farfadet* : lutin ; ici, au sens figuré, homme frivole et légèrement idiot.
2. *Fait mine* : fait semblant.
3. *Il t'en cuira* : cela te coûtera cher.

JACQUINOT. – Palsambleu ! que ce linge est sale ! Il sent bien la chiasse du lit.

20 LA FEMME. – Plutôt un étron dans votre bouche ! Allons ! faites comme moi sagement.

JACQUINOT. – La merde y est, je vous le jure. Que voilà un piteux[1] ménage !

LA FEMME. – Je vous jetterai tout au visage. Ne croyez pas que je plaisante.

25 JACQUINOT. – Par le diable, vous n'en ferez rien.

LA FEMME, *lui jetant le linge au visage*. – Eh bien ! sentez donc, maître sot.

JACQUINOT. – Bonne Vierge ! c'est le diable que voilà ! Vous m'avez souillé[2] mes habits.

30 LA FEMME. – Faut-il chercher tant d'alibis[3], quand il convient de travailler. *(Elle tire du cuvier un drap et lui en tend une des extrémités.)* Tenez bien le linge vers vous ! *(Jacquinot tire sec, ce qui déséquilibre la femme en lui faisant lâcher prise.)* Que la gale[4] puisse te ravager le corps ! *(Elle tombe dans la cuve.)* Mon Dieu !
35 souvenez-vous de moi ! Ayez pitié de ma pauvre âme ! *(À Jacquinot, empêtrée qu'elle est dans le cuvier avec ses vêtements pleins d'eau.)* Aidez-moi à sortir de là, ou je mourrai en grande honte. Jacquinot, secourez votre femme ; tirez-la hors de ce baquet.

40 JACQUINOT. – Cela n'est pas dans mon rôlet.

---

1. *Piteux* : déplorable, en mauvais état, miteux.
2. *Vous m'avez souillé* : vous m'avez sali.
3. *Alibis* : excuses.
4. *Gale* : maladie de peau très contagieuse.

LA FEMME, *sur un air plaintif* :
    Que ce tonneau me presse !
    J'en ai grande détresse.
    Mon cœur est en presse.
45   Las ! pour l'amour de Dieu, ôtez-moi de là.

JACQUINOT *chantonne à son tour* :
    Oh ! la vieille vesse [1],
    Tu n'es qu'ivrognesse.
    Retourne ta fesse
50   De l'autre côté !

LA FEMME. – Mon bon mari, sauvez-moi la vie ! Je suis déjà tout évanouie. Donnez la main, un tantinet [2].

JACQUINOT. – Cela n'est pas dans mon rôlet. Qui prétend le contraire, descendra en enfer.

55 LA FEMME. – Hélas ! si l'on ne s'occupe de moi, la mort viendra m'enlever.

JACQUINOT *lit son rôlet*. – « Pétrir, cuire le pain, lessiver ». « Tamiser, laver, décrasser ».

LA FEMME. – Le sang m'est déjà tout tourné [3]. Je suis sur le point
60   de mourir.

JACQUINOT. – « Baiser, accoler, frotter sans mollir ».

LA FEMME. – Pensez vite à me secourir.

JACQUINOT. – « Allez, venir, trotter, courir ».

LA FEMME. – Jamais je ne dépasserai ce jour.

65 JACQUINOT. – « Faire le pain, chauffer le four ».

---

1. Vesse : vieille femme répugnante.

2. Un tantinet : légèrement, un petit peu.

3. Le sang m'est déjà tout tourné : je suis bouleversée.

LA FEMME. – Çà, la main ! je touche à ma fin.

JACQUINOT. – «Mener la mouture au moulin».

LA FEMME. – Vous êtes pire qu'un chien mâtin[1].

JACQUINOT. – «Faire le lit de bon matin».

70 LA FEMME. – Las[2] ! il vous semble que c'est un jeu.

JACQUINOT. – «Et puis, mettre le pot au feu».

LA FEMME. – Las ! où est ma mère Jacquette ?

JACQUINOT. – «Et tenir la cuisine nette».

LA FEMME, *faisant comme si elle allait mourir.* – Allez me quérir[3] le
75 curé.

JACQUINOT. – J'ai achevé tout mon papier ; et, sans plus de discours, je vous assure que ce n'est pas dans mon rôlet.

LA FEMME. – Et pourquoi n'est-ce pas écrit ?

JACQUINOT. – Parce que vous ne l'avez pas dit. Sauvez-vous comme
80 vous voudrez ; car, s'il ne tient qu'à moi, vous y resterez.

LA FEMME. – Regardez donc si vous voyez passer dans la rue un
valet.

JACQUINOT. – Cela n'est pas dans mon rôlet.

LA FEMME. – Eh ! çà, la main, mon doux ami ! car, pour me lever
85 seule, je ne suis pas assez forte.

JACQUINOT. – Moi, ton ami ! Dis plutôt ton grand ennemi. Je
voudrais déjà te porter morte !

---

1. *Chien mâtin* : gros chien de garde.
2. *Las* : hélas.
3. *Quérir* : chercher.

4

LA MÈRE, *derrière le rideau.* – Holà, ho !

JACQUINOT. – Qui frappe à la porte ?

LA MÈRE. – Ce sont de vos amis, par Dieu ! *(Jacquinot la fait entrer.)*
Je suis arrivée en ce lieu pour savoir comment tout se porte.

5 JACQUINOT. – Très bien, depuis que ma femme est morte. Tous
mes vœux sont réalisés ; et j'en suis devenu plus riche.

LA MÈRE. – Et quoi ! ma fille est-elle tuée ?

JACQUINOT. – Dans la lessive elle s'est noyée.

LA MÈRE. – Perfide [1], assassin, qu'est-ce que tu dis ?

10 JACQUINOT. – Je prie le Dieu du paradis et monsieur saint Denis
de France, que le diable lui casse la panse, avant que son âme
soit passée.

LA MÈRE. – Hélas ! ma fille est trépassée [2] ?

JACQUINOT. – En tordant le linge, elle s'est baissée ; puis, ce qu'elle
15 tenait en main s'est échappé, et tête en bas la voilà tombée.

LA FEMME, *sortant la tête du cuvier.* – Mère, je suis morte, voyez, si
vous ne secourez votre fille.

LA MÈRE. – Seule, je ne suis pas assez habile. Jacquinot, la main,
s'il vous plaît.

20 JACQUINOT. – Cela n'est pas dans mon rôlet.

---

1. *Perfide* : traître.
2. *Trépassée* : morte.

LA MÈRE. – Vous avez tort qu'il n'y soit pas.

LA FEMME. – Las ! aidez-moi.

LA MÈRE. – Méchant, puant ! la laisserez-vous mourir là ?

JACQUINOT. – S'il ne tient qu'à moi, elle y restera. Je ne veux plus
25   être son valet.

LA FEMME. – Aidez-moi.

JACQUINOT. – Pas dans le rôlet. Impossible de l'y trouver.

LA MÈRE. – Va, Jacquinot, sans plus tarder, aide-moi à lever ta
femme.

30 JACQUINOT. – Je ne le ferai pas, sur mon âme, avant qu'il ne me soit
promis que désormais je serai mis en mesure d'être le maître.

LA FEMME. – Si hors d'ici vous voulez me mettre, je vous le
promets de bon cœur.

JACQUINOT. – Et vous le ferez ?

35 LA FEMME. – Je m'occuperai du ménage, sans jamais rien vous
demander, sans jamais rien vous commander, sauf s'il y a
nécessité.

JACQUINOT. – Eh bien ! donc, il faut la lever. Mais, par tous les
saints de la messe, je veux que vous teniez promesse, tout à
40   fait comme vous l'avez dit.

LA FEMME. – Jamais je n'y mettrai contredit [1] ; mon ami, je vous le
promets.

(Et Jacquinot tire sa femme du cuvier.)

---

1. *Je n'y mettrai contredit* : je ne prétendrai pas le contraire.

JACQUINOT. – Je serai donc le maître désormais, puisque ma femme enfin l'accorde.

45 LA MÈRE. – Si en ménage[1] il y a discorde[2], personne n'en peut tirer profit.

JACQUINOT. – Aussi je veux certifier qu'il est honteux pour une femme de faire de son maître un valet, si sot et mal appris qu'il soit.

LA FEMME. – Et c'est pourquoi bien mal m'en prit, comme on
50 vient de le voir ici. Mais désormais, diligente[3], j'assurerai tout le ménage. C'est moi qui serai la servante, comme c'est de droit mon devoir.

JACQUINOT. – Je serai heureux si le marché tient, car je vivrai sans nul besoin.

55 LA FEMME. – C'est sûr, je vous tiendrai parole. Je vous le promets, c'est raison. Vous serez maître en la maison maintenant, c'est bien réfléchi.

JACQUINOT. – Pour cela donc je veillerai à ne plus être cruel avec vous.

Adresse au public.

JACQUINOT. – Retenez donc, à mots couverts[4], que par indicible[5]
60 folie j'avais le sens tout à l'envers. Mais ceux qui de moi ont médit[6], sont maintenant de mon avis, quand ils voient que ma femme à ma cause se rallie, elle qui avait voulu, folle imagination, m'imposer sa domination. Adieu ! telle est ma conclusion.

---

1. *Ménage* : vie en couple.
2. *Discorde* : mésentente.
3. *Diligente* : zélée, appliquée.
4. *À mots couverts* : en termes voilés, avec des mots qui cachent un autre sens.
5. *Indicible* : qu'on ne peut dire.
6. *Ont médit* : ont dit du mal.

Jenin, fils de rien

Farce nouvelle, très bonne et fort joyeuse
de Jenin, fils de rien
à quatre personnages, c'est assavoir :
la mère et Jenin, son fils,
le prêtre et un devin[1].

1

*La maison de Jenin (décor nu ; au centre des tréteaux). La mère de Jenin est
d'abord seule ; puis Jenin entre.*

LA MÈRE *commence.* – Quand je regarde bien mon fils, par mon
serment[2], je suis fort aise[3] : bénie soit l'heure où je le fis,
5   quand je regarde bien mon fils ! Il est tout plein de bonnes
mœurs[4] ; il n'y a rien qui tant me plaise. Quand je regarde
bien mon fils, par mon serment, je suis fort aise. Jenin !

---

1. *Devin* : personne qui prétend comprendre ce qui est caché, qui « devine » la
vérité par des moyens que réfute la science.
2. *Par mon serment* : par ma foi, expression qui vient renforcer l'affir-
mation.
3. *Fort aise* : fort contente.
4. *Il est tout plein de bonnes mœurs* : il se comporte bien, possède de
grandes qualités morales.

2

JENIN, *vêtu en badin*[1] : *longue jaquette*[2] *et, sur la tête, un large bonnet garni d'un plumet ; il s'avance avec un air lourdaud.* – Ho !

LA MÈRE, *choquée de cette exclamation cavalière*[3]. – Ne vous déplaise, petit paysan, va, tu ne sais rien.

5 JENIN. – Dites, ma mère, faut qu'on s'apaise[4]. Me donnerez-vous quelques sous, combien ? Une autre fois, je parlerai mieux.

LA MÈRE. – Je te donnerai ce que j'ai.

JENIN. – Vous me le donnerez donc ?

LA MÈRE. – Oui, pardieu ! Jenin.

10 JENIN. – Ho, ho !

LA MÈRE. – Le jeu recommence ! Ne sauriez-vous dire autre chose ? Eh ! parlez autrement, ma rose.

JENIN. – Dites-moi donc ce que je dirai.

LA MÈRE. – On dit : que vous plaît-il ?

15 JENIN. – Je le ferai, puisque je sais bien ce que c'est.

LA MÈRE. – Jenin, Jenin !

JENIN. – Ho, ho ! *(Se reprenant.)* Quoi qui vous plaît ? Je l'avais déjà oublié.

---

1. **Badin** : enfant niais, celui qui joue le sot.
2. **Jaquette** : veste.
3. **Cavalière** : impertinente, déplacée.
4. **Faut qu'on s'apaise** : il faut qu'on se calme.

LA MÈRE. – Puisses-tu être accablé de fièvre ! Dans ta vie, tu ne
20   sauras rien. Il te faut apprendre de l'utile et te mettre en
      disposition d'aller bientôt en quelque école pour bien savoir
      répondre aux gens.

JENIN. – Oui, chez mon père, notre curé messire[1] Jean. Je veux y
      aller la semaine prochaine.

25 LA MÈRE. – Que tu aies la fièvre quartaine[2] ! Ton père, lui ! Qui te
      l'a dit ?

JENIN. – Pardieu, voilà bien de quoi rire ! Mais si c'est fort vous
      avilir[3] que je sois le fils d'un prêtre, dites-moi donc qui est
      mon père.

30 LA MÈRE. – Ma foi, je ne le connais pas.

JENIN. – Quelle chose extraordinaire, que vous ne connaissiez pas
      mon père ! Qui le sait donc ?

LA MÈRE. – Que de discours ! Ne t'ai-je pas dit que je n'en sais rien ?

JENIN. – Qui dès lors sera donc le mien ? Plût à Dieu que ce fût
35   le prêtre !

LA MÈRE. – Tu n'es qu'un fol[4].

JENIN. – Ce peut bien être ; pardieu ! on me l'a déjà dit. Qui était
      donc dans votre lit couché avec vous quand je fus fait ? Je serais
      donc fort imparfait, si personne ne m'eût engendré[5]. Dites-moi
40   comment je comprendrai que je sois fils de vous seulement ?

---

1. *Messire* : monseigneur.
2. *Fièvre quartaine* : fièvre violente ; expression qui s'emploie comme
imprécation : « Que la fièvre quartaine l'emporte ! », manière de souhaiter la
mort de quelqu'un.
3. *Avilir* : rabaisser, déprécier, déshonorer.
4. *Un fol* : un fou.
5. *Engendré* : conçu (se dit en parlant d'un homme qui fait un enfant).

LA MÈRE. – Jenin, je te dirai comment : une fois que je m'étais couchée au-dessus du lit tout habillée. Mais je sais bien, en bonne foi, qu'il n'y avait personne que moi.

JENIN. – Comment donc fus-je ainsi conçu ?

45 LA MÈRE. – Je ne sais, car je n'aperçus, pour que tu te taises et n'en caquettes[1], autour de moi qu'une jaquette, étendue sur moi, avec un pourpoint[2].

JENIN. – Quelle chose extraordinaire, que je sois fils d'une jaquette ! Sur ma foi, je ne le crois guère, tant c'est chose extraordinaire.
50 Vraiment, ce serait mal à propos que la chose fût ainsi faite. Quelle chose extraordinaire, que je sois fils d'une jaquette !

LA MÈRE. – Tu ne gagnes rien à discourir[3]. Ne crois-tu pas que tu es mon fils ?

JENIN. – Je ne puis comprendre qui je suis. Mon père serait donc
55 fabriqué en laine ?

LA MÈRE. – Tu me causes beaucoup de peine. Je te le dis sans discussion : tu es mon fils.

JENIN. – À d'autres ! Il faut bien qu'un homme m'ait brassé[4]. Mais que teniez-vous embrassé quand je fus fait ?

60 LA MÈRE. – Une jaquette.

JENIN. – Vraiment donc, je laisse là l'enquête : une jaquette, c'est mon père.

LA MÈRE. – Mais non, non, elle ne l'est point.

---

1. *N'en caquettes* : n'en bavardes à tort et à travers.
2. *Pourpoint* : vêtement masculin qui couvre le torse jusqu'à la ceinture.
3. *Discourir* : faire des discours, parler longuement.
4. *Il faut bien qu'un homme m'ait brassé* : il faut bien qu'un homme soit intervenu pour me concevoir.

JENIN. – Sur ma foi donc, c'est le pourpoint et la jaquette tout
ensemble. Dites-moi auquel je ressemble, ma mère, puisque
vous les avez vus. Il faut maintenant me le dire. Mon père
était-il blanc ou rouge ? Je le saurai avant que je bouge.

LA MÈRE. – Tu n'es fils de l'un ni de l'autre.

JENIN. – Alors je suis fils de quelque autre. Dieu sache lequel ce
peut être ! Cette fois, ce n'est pas le prêtre ; je le sais, vous
l'avez affirmé. Et de plus, vous avez nié que ce pût être
la jaquette, ou le pourpoint. Je suis donc une bête ! Par ma
foi, vous me le direz, ou alors vous éconduirez[1] un des bons
amis que vous ayez. *(Il montre la maison du prêtre, messire Jean,
qui vient de paraître à l'autre bout des tréteaux.)* Puisque ce ne
fut pas le pourpoint, je le sais bien, ce sont les manches que
vous avez trouvées sur vos hanches alors que vous vous
endormiez.

LA MÈRE. – Sur ma foi, vit-on plus grand niais ! Les manches !
mais non, pardieu ! car je n'ai trouvé en ce lieu sur moi que
des manches vides, rien qu'une pauvre dépouille[2].

JENIN. – Oui, mais avaient-elles des couilles ?

3
Dans la rue, près de la maison de Jenin et de celle du prêtre.

JENIN, *se dirigeant vers le prêtre.* – Sur ma foi, c'est bien à propos.
*(Mettant la main à son bonnet, comme s'il allait le retirer pour saluer
le prêtre.)* Bonjour, maître Jean du Campos[3] !

---

1. *Vous éconduirez* : vous renverrez sans lui répondre.
2. *Dépouille* : corps sans vie.
3. *Maître Jean du Campos* : c'est ainsi que l'on traduit *Magister Campos*,
maître Campos, qui pourrait signifier « le Maître à qui l'on va donner congé ».

5   LE PRÊTRE. – Dieu te garde ! mon garçonnet. Couvre-toi, couvre.

JENIN, *gardant la main à son bonnet*. – Mon bonnet est bien ainsi dessus ma tête.

LE PRÊTRE. – Couvre-toi. Tu es trop honnête ! Tu pourrais servir quelque grand seigneur.

10   JENIN. – Je ne fais rien que pour mon honneur ; et j'ai bien appris ma leçon.

LE PRÊTRE. – Tu es un fort gentil garçon. Or çà, qu'est-ce que tu demandes ?

JENIN, *montrant, avec équivoque* [1], *l'étui de l'écritoire qui pend, près du*
15   *bas-ventre, sur la robe de messire Jean*. – Mon Dieu, que votre chose est grande ! Et la mettez-vous là-dedans ?

(Il s'apprête à tâter les chausses [2] *du prêtre.)*

LE PRÊTRE. – N'y touche pas.

JENIN. – A-t-elle des dents ? Me mordrait-elle si j'y touchais ?

LE PRÊTRE. – Diable ! tu es un enfant de choix. *(Jenin se met à*
20   *sauter.)* Mais es-tu fou ? Comme tu sautes !

JENIN. – Jésus ! que cette maison est haute ! Vertu saint Gris ! si elle s'écroulait, je serais pris au trébuchet [3].

LE PRÊTRE. – Tu serais mort, mon doux enfant.

JENIN. – Diable ! je me cacherais sous vous, et vous recevriez le
25   coup.

---

1. *Avec équivoque* : de façon peu claire, ambiguë, qui peut avoir une connotation sexuelle. Ici, Jenin semble penser que l'étui de l'écritoire sert à protéger le sexe du prêtre, symbole de paternité à ses yeux.
2. *Chausses* : équivalent d'un caleçon long.
3. *Trébuchet* : piège pour les oiseaux.

LE PRÊTRE. – Je t'en supplie, promptement[1] dis-moi ce qui t'amène par-devers moi[2].

JENIN. – En toute conscience, je ne sais pas. Mais ç'a été ma sotte mère qui m'a dit que je n'ai pas de père. C'est pourquoi le pauvre Jenin
30 a voulu se mettre en chemin, et cherche à recouvrer[3] un père.

LE PRÊTRE. – Par ma foi, où que soit la mère, mon ami, vous êtes mon fils. Jamais depuis que je vous fis, je ne me suis trouvé plus aise.

JENIN, *se précipitant pour l'embrasser.* – Or çà donc, il faut que je
35 vous baise[4]. Noël ! Noël ! je l'ai trouvé ; voici celui qui m'a couvé. Ma mère ne le connaît point. Je ne suis plus fils d'un pourpoint ; maintenant c'est un fait notoire[5]. *(Reprenant son approche de l'écritoire.)* Que vous avez belle écritoire ! Je vous en supplie, donnez-la-moi.

4

Retour instantané à la maison de Jenin ; messire Jean accompagne Jenin.

JENIN, *à sa mère.* – Voici mon père, par ma foi, le voici en propre personne !

LE PRÊTRE, *lui remettant son écritoire.* – Tenez, mon fils, je vous la
5 donne pour que vous appreniez à écrire.

JENIN. – Vraiment, vous ne voulez pas dire, ma mère, qui est mon papa ?

---

1. *Promptement* : rapidement.
2. *Par-devers moi* : près de moi.
3. *Recouvrer* : retrouver.
4. *Que je vous baise* : que je vous embrasse.
5. *Notoire* : connu de tous.

LA MÈRE, *tournée vers le prêtre*. – Saint Jean, jamais il ne frappa de sa lance un seul petit coup[1].

10 JENIN. – Frapper ?

LA MÈRE. – Non vraiment, rien du tout. Le rustre[2] qu'il est et infâme[3], vient-il pour me lancer ce blâme[4], de dire que je suis femme de prêtre ? Ah ! pardieu, avant que je n'arrête, j'affirme qu'il s'en repentira[5] ; et, s'il me croit, il s'en ira
15 avant qu'on n'en parle davantage. Combien de lait a-t-il payé en sa vie afin de vous nourrir ? J'aimerais beaucoup mieux mourir que d'endurer[6] une telle injure, de dire qu'il est votre père. Qu'il ne m'en vienne parler jamais !

LE PRÊTRE. – Sur ma foi, Notre-Dame, je jure que celui-ci est mon
20 enfant. Pardieu, je serais bien méchant de le dire, si ce n'était vrai.

JENIN. – Aussi, mon père, je vous suivrai par tous les lieux où vous irez.

LA MÈRE. – Pardieu, Jenin, vous mentirez en le faisant croire votre
25 père. Il n'est pas votre père, non.

JENIN. – Dites-moi donc quel est le nom de mon père, et j'irai le chercher.

LE PRÊTRE. – Par ma foi, c'est moi, mon cher fils ; n'en ayez jamais aucun doute.

---

1. *Jamais il ne frappa de sa lance un seul petit coup* : expression imagée et amusante pour dire qu'elle n'a jamais eu de relation sexuelle avec le prêtre. La lance représente ici le sexe masculin en érection.
2. *Rustre* : homme grossier et brutal.
3. *Infâme* : ignoble, repoussant, vil.
4. *Blâme* : reproche.
5. *Il s'en repentira* : il le regrettera.
6. *Endurer* : supporter sans rien dire.

30 JENIN. – Ma mère m'a pincé le coude, et me dit que c'est menterie[1]. C'eût été grande rêverie que ma mère-ci m'eût conçu
sans qu'elle vous eût aperçu ! Diable ! il faut bien que j'aie un
père ! Je n'en sais que dire, ma mère, mais je pense qu'il a
raison.

35 LA MÈRE. – Jenin, n'écoute pas ses sermons[2]. Ce ne serait pas ton
avantage d'aller dire qu'un tel personnage, comme cet
homme-ci, fut ton père. Mais qu'il ait été ton parrain, cela je
le reconnais très bien.

JENIN. – N'y a-t-il pas de quoi se divertir, croyez-moi, si vous ne
40 pouvez me dire quel homme ce fut que vous vîtes, qui causa
ma génération[3] ? J'accepte de souffrir la passion[4], si je ne dis
pas que c'est lui !

(Il montre le prêtre.)

LE PRÊTRE. – Ah ! par ma foi, c'est bien ainsi. Ce qu'elle dit, c'est
pour excuse. Ne la croyez pas, elle vous abuse[5] ; c'est moi-
45 même qui vous ai forgé.

JENIN. – J'en ai la gorge coupée de rire ! Comment ? Forgé ! Êtes-
vous maréchal ferrant ? Allez donc ferrer un cheval, vous en
tirerez grand profit. Mais moi, je ne serai plus votre fils ; allez
chercher qui le sera.

50 LE PRÊTRE. – Ma foi, je ferai opposition, si c'est le contraire que
vous prétendez.

---

1. *Menterie* : mensonge.
2. *Sermons* : longs discours. Le prêtre pour instruire ses fidèles à l'église
prononce des sermons.
3. *Ma génération* : mon existence.
4. *La passion* : ici au sens des souffrances qu'endura Jésus-Christ avant sa
crucifixion.
5. *Elle vous abuse* : elle vous trompe.

LA MÈRE. – Qui est-ce qui mieux que moi le sait ? Sur mon âme, il ne l'est pas, Jenin.

JENIN. – Je vais aller voir le devin, afin qu'il me fasse connaître si
55   je suis fils d'elle ou du prêtre. *(À sa mère.)* Le voulez-vous, je vous en prie ? Je saurai ainsi, lorsque vous étiez endormie, qui était avec vous couché.

LA MÈRE. – Penses-tu qu'il m'ait attouchée ? Cela, ne le croyez jamais. Non, ce n'est pas lui qui vous a fait. Mais, sur ma foi,
60   oui, je veux bien qu'on aille chercher un devin, et qu'on lui demande ce qu'il en est de tout cela.

JENIN. – Pardieu, je le veux bien, ma mère.

LE PRÊTRE. – Je le veux bien, semblablement. Sus ! Jenin, courez rapidement ; allez vite chercher le devin.

65 JENIN. – Je vais donc le faire venir pour qu'il juge de cette affaire.

(Il sort par le rideau de fond. La mère et le prêtre restent discrètement dans un coin des tréteaux.)

5

Une rue, à gauche, que parcourt le devin pour vendre ses onguents. Il est vêtu d'une longue robe noire et a, sur la tête, le chapeau doctoral[1]. Outre sa « marchandise » et une écuelle[2] pour l'examen des urines, il tient dans une cage une petite bête.

5 LE DEVIN, *entrouvrant la cage et montrant au public la tête de la bête.* – Sus ! bonnes gens, arrière, arrière ! Prenez garde d'être mordus. Ho ! méchante bête, quel féroce caractère ! Sus ! bonnes gens, arrière, arrière ! Elle est d'une horrible manière.

---

1. *Chapeau doctoral* : chapeau de médecin, noir et pointu.
2. *Écuelle* : large assiette.

Fuyez tous, ou vous êtes morts. Sus ! bonnes gens, arrière,
arrière ! Prenez garde d'être mordus. Voyez, elle veut bondir
dehors. La voyez-vous, la méchante bête ? Regardez comme
elle a le corps. Quels petits yeux et quelle tête ! Aussi, comme
elle est malhonnête ! Je veux la remettre dedans. Or, je vois
bien qu'il est grand temps que je vous dise ce qui m'amène. Je
vous apporte à grande peine une drogue[1] fort salutaire[2]. Il
n'est pas temps de vous le taire : elle vaut pour plusieurs
maladies. De plus, il faut que je vous dise de quelle science je
me mêle. S'il y avait quelque femelle qui ne pût avoir des
enfants, j'ai des onguents[3] si échauffants, et une huile qui est
si fort chaude que, fût-elle Margot[4] ou ribaude[5], elle sera
grosse[6] sur-le-champ ; et je lui frotterai les reins d'une huile si
bonne et si utile qu'elle portera garçon ou fille. Je me vante
aussi, sans orgueil, de juger les urines, et j'y suis passé maître :
à bien des gens j'ai fait paraître mon habileté et ma science.

6

JENIN, *revenant et apercevant le devin.* – Oh ! je crois, sur ma
conscience, que c'est lui que je viens chercher. *(S'adressant au
devin.)* Ma mère m'envoie en grande hâte, pardieu ! monsieur,
pour vous chercher, afin que je puisse m'informer et savoir de
qui je suis le fils.

LE DEVIN. – Mon ami, je vous certifie que vous êtes fils de votre
père.

---

1. *Une drogue* : un remède, un médicament.
2. *Salutaire* : bénéfique.
3. *Onguents* : pommades ou crèmes qu'on applique sur le corps pour se guérir.
4. *Margot* : surnom donné aux femmes qui n'ont pas beaucoup de vertu.
5. *Ribaude* : femme débauchée.
6. *Grosse* : enceinte.

JENIN. – Diable ! monsieur, je sais bien que oui ; mais je ne sais pas si c'est un prêtre.

10 LE DEVIN. – En bonne foi, il peut bien être que ce soit lui. Mais on verra ; car premièrement il faudra juger ton père à ton urine. Déjà, je vois bien à ta mine que tu es fils bien avisé.

JENIN. – Nous avons ici trop tardé. Pardieu ! ma mère me battra ; pourtant je sais bien qu'elle sera bien joyeuse lorsqu'elle vous
15 verra.

(Ils se mettent en route et se dirigent vers la maison de Jenin.)

7

Maison de Jenin.

LA MÈRE, *à messire Jean.* – Jenin est parti depuis longtemps ; je ne sais quand il reviendra.

LE PRÊTRE. – On verra ce qu'il en adviendra, si un jour il peut
5 revenir.

8

JENIN, *au devin.* – Ma mère nous aperçoit venir ; je vois qu'elle est dans la maison.

LA MÈRE, *à Jenin.* – Ah ! vraiment, il était grand temps que tu sois enfin revenu.

5 JENIN. – Ma mère, le voici venu. Vite, préparez la monnaie.

LA MÈRE. – Ah ! monseigneur, Dieu vous donne joie ! Soyez chez nous le bienvenu.

LE DEVIN. – Vers vous je me suis mis en voie.

LE PRÊTRE. – Ah ! monseigneur, Dieu vous donne joie !

10 LE DEVIN. – Il faut qu'à ce cas je pourvoie[1], sans qu'il soit longtemps débattu.

LA MÈRE. – Ah ! monseigneur, Dieu vous donne joie ! Soyez chez
nous le bienvenu. *(Montrant messire Jean.)* Ce fou-ci a imaginé
que c'était ici son garçon. Et c'est pourquoi nous attendons
15 que vous nous disiez la vérité. Vous nous rendrez là grand
service ; *(montrant sa bourse)* aussi serai-je votre débitrice[2].

LE DEVIN, *examinant messire Jean, puis Jenin.* – Je le jure, je ne vis
jamais un homme qui mieux lui ressemble.

JENIN. – Je le jure, ma mère tremble de peur que ce ne soit mon père.

20 LA MÈRE, *au devin.* – Monseigneur, je n'en ai que faire. Mais
j'affirme qu'il n'est pas à lui.

LE PRÊTRE. – Il l'est, par Dieu !

JENIN. – Elle a menti. Comment ne le sais-je pas bien ! Sinon, je
serais fils d'un chien. Sur ma foi *(montrant le prêtre)*, c'est lui
25 qu'il faut croire.

LE PRÊTRE. – Il est mon fils.

JENIN. – Par ma foi, oui vraiment : il m'a donné son écritoire.

LE DEVIN. – Pour connaître rapidement s'il est son fils ou ne l'est
pas *(à Jenin)* il faut que tu pisses vitement maintenant, là, dans
30 cette écuelle. *(Il la lui tend.)*

---

1. *Il faut qu'à ce cas je pourvoie* : il faut que je règle ce problème.
2. *Débitrice* : qui doit de l'argent. La mère est prête à payer le devin
généreusement s'il dit la vérité, c'est-à-dire que le prêtre n'est pas le père de
Jenin.

JENIN. – Pour quoi faire ?

LE DEVIN. – La chose est telle, pour connaître de qui tu es le fils.

JENIN. – Ma mère la tiendra, pardi ! pendant le temps que je
pisserai. Et s'il plaît à Dieu, je serai le fils de mon père messire
35 Jean.

LA MÈRE. – Pisseras-tu devant les gens ? Qu'est-ce que c'est ! N'as-
tu pas honte ?

JENIN. – Si, par ma foi, j'en tiens bien compte. Mais quoi ! ma
quéquette est si belle ! *(Il urine dans l'écuelle que tient sa mère.)*
40 Dites, faut-il emplir l'écuelle ? Jésus, que mon pissat est
chaud ! Le diable y soit ! Levez plus haut : elle m'a fait pisser
dans mes chausses.

LA MÈRE. – Eh bien ! veux-tu que je la hausse ?

JENIN. – Et oui ; j'ai souillé ma chemise.

45 LE DEVIN, *prenant l'écuelle.* – Or ça, il est temps que j'avise à
connaître ce qu'il en est. *(Il examine l'urine.)* Réellement, je
n'en puis juger. Cependant l'urine est fort claire. De là je vois
qu'elle est sa mère ; mais de son père, je ne sais point.

JENIN. – Au moins, ce n'est pas le pourpoint dont ma mère
50 m'avait parlé ?

LE DEVIN. – Le pourpoint ? C'est bien plaisanté pour savoir avec
évidence parfaitement qui est ton père. Et en jugeant bien ton
urine, qui est claire comme une vitrine *(désignant messire Jean)*,
il peut bien être, par ma foi, ton père ; pourtant je ne sais pas.
55 Je vois à l'endroit que voilà, un signe qui tourne deçà delà et
qui me fait dire le contraire.

JENIN. – Je vous prie, monseigneur, de dire que mon père c'est
celui-ci.

LE DEVIN. – Ne te tairas-tu pas ? Qu'est ceci !

60 JENIN. – Diable ! je n'en ferai rien, beau sire. Pourquoi maintenant vous dédire[1] ? Vous avez dit que c'est mon père.

LE DEVIN. – Et que sais-je ? Laisse-moi faire ou, par Dieu, je dirai
que non.

LE PRÊTRE. – Je vous supplie, maître Tignon, jugez-en à votre
65   conscience.

LE DEVIN. – Faites donc un peu de silence, car vous me troublez la
mémoire. Il est son fils ; non pas encore ; et, par Dieu ! que
peut-on savoir ? Pour parler sûrement du fait, je crois bien
qu'il est fils du prêtre. Voici ce qui donne à le croire : il
70   marche toujours en le suivant, tandis que sa mère, il la laisse
toujours derrière. En conséquence je conclus, *omnibus evidentibus*[2], en la présence de tous ces gens, qu'il est le fils de
messire Jean et n'est pas le fils de sa mère.

LA MÈRE. – Que diable ! il faut recommencer. *(Au devin.)* Par saint
75   Jean, maître, vous mentez. De quoi est-ce que vous vous
mêlez ? Vous n'êtes qu'un devin d'eau douce. Si, pardieu, je
m'approche de vous, gare à vous, je vous ferai taire.

LE DEVIN. – Là, attendez. Il peut bien se faire que par hasard je
me sois trompé. Votre figure, par sa nature, ressemble à celle
80   de Jenin.

LA MÈRE. – Est-il mon fils ?

JENIN. – Par Dieu ! non, non. *(À sa mère.)* Oui-da, remettez ça à
demain ! Ma foi, je ne vous aime pas. Messire Jean, je l'aime
beaucoup mieux. *(La mère lui fait signe de se taire.)* Oui-da, c'est

---

1. ***Pourquoi maintenant vous dédire ?*** : pourquoi changez-vous d'avis et
dites-vous le contraire de ce que vous venez d'affirmer ?
2. ***Omnibus evidentibus*** : expression latine signifiant «de toute évidence».

85   mon père, avec l'aide de Dieu ! Vous me faites des signes en
vain.

LE DEVIN. – Paix ! je dois parler en devin. Je ne veux plus juger vos
urines, car je ne fais que me tromper. Pour vous accorder tous
ensemble[1], il ne sera fils de personne. Ma raison, je la trouve
90   bonne : sa mère m'a dit que du prêtre il n'est pas le fils ; or
Jenin ne veut être jamais le fils de sa mère. Or donc, il n'a ni
mère ni père ; il n'en eut jamais. Voici le point : il n'y avait rien
qu'un pourpoint sur sa mère quand elle fut couchée ; or si
personne ne l'a touchée, cet enfant n'a pu être conçu. Par
95   quoi, il peut être conclu qu'il n'est fils d'homme ni de femme.

(Il s'en va. La mère et le prêtre se retirent chacun de son côté.)

9

JENIN, *resté seul.* – Ah ! vraiment donc, par mon âme, je suis Jenin,
le fils de rien. Et donc, pour comprendre bien, Jenin n'est pas
fils de sa mère ; il n'est, non plus, fils de son père ; ergo[2]
donc, je ne suis pas fils d'un père et d'une mère, pardi ! Donc
5   Jenin n'est pas Jenin. Qui suis-je donc ? Janot le sot ? Que
non ! Je suis Jenin, le fils de rien. Je ne puis trouver le moyen
de savoir si je suis ou si je ne suis pas. Suis-je Dieu ou la
Vierge Marie ? Non, ils se trouvent au paradis. Suis-je un
diable ? Qu'est-ce que je dis ! vraiment, je ne suis pas cornu.
10   Dieu sait-il d'où je suis venu ! Pourtant je ne suis pas une
bête : il est bon à voir à ma tête que je suis fait tout comme
un homme. C'est pourquoi je conclus, en somme, que je suis
et que je ne suis pas. Suis-je saint Pierre ou saint Thomas ?

---

1. *Pour vous accorder tous ensemble* : pour vous mettre tous d'accord.
2. *Ergo* : donc (adverbe latin). Jenin le traduit aussitôt puisqu'il dit : « ergo
donc », ce qui est ridicule.

Non, puisque saint Thomas est mort. Eh ! vraiment, ceci est
15 bien fort à savoir, ce que c'est que moi ! Mais je ne vous
promets pas, ma foi, que je ne me crois pas un saint. À
l'église, je serai donc peint et mis dessus le maître-autel. Quel
saint serai-je ? *(Un temps de réflexion.)* Il n'est rien de tel que
d'être au paradis saint Rien. Ah ! si j'avais été d'un chien, ou
20 d'un cheval vraiment l'enfant, je serais bien plus triomphant
que je ne suis, et de bonne race. Or, je conclus, pour en finir,
que je ne suis le fils de personne. Je suis à qui le plus me
donne. Beaucoup vont là me ressemblant ; je suis comme les
Allemands [1].

---

1. *Je suis comme les Allemands* : à cette époque les Allemands offraient
leurs services en France, et travaillaient pour celui qui payait le mieux.

Le Bateleur

Farce joyeuse
du Bateleur
à cinq personnages, c'est assavoir :
le bateleur[1], son valet, Binette
et deux femmes.

Une place de marché.

1

Le bateleur s'avance avec son valet, et cherche un emplacement pour vendre sa « marchandise », tandis que sa femme Binette reste à l'écart avec les bagages.

LE BATELEUR *commence en chantant et en tenant son valet comme s'il s'agissait d'une bête de foire :*

> Arrière, arrière, arrière, arrière !
> Venez la voir mourir, venez.
> Petits enfants, mouchez vos nez
> Pour faire plus belle manière.
> Arrière, arrière, arrière, arrière !

(Montrant son valet.) Voici le plus prodigieux[2] des badins[3], dont le ventre, sans fausse bedaine[4], s'attache net à son derrière.

---

1. *Bateleur* : celui qui donne des spectacles de rue.
2. *Prodigieux* : extraordinaire, merveilleux.
3. *Badins* : acteurs, amuseurs publics.
4. *Bedaine* : gros ventre.

Arrière, arrière, arrière, arrière !

Voici celui, pour parler peu, qui est l'être le plus merveilleux qu'on trouve dans l'art de badiner[1] ; l'expérience en est exemplaire :

15   Arrière, arrière, arrière, arrière !

Voici celui qui surpasse tout. Allez, faites le saut ! haut, debout ! demi-tour ! saut périlleux ! en avant, en arrière !

Allons ! j'ai chaud, j'ai froid ! N'est-il pas bien savant ?

Pour tout dire, voilà comment nous aurons le prix de badi-
20   nage. Mon valet ?

LE VALET. – Ho ! mon maître.

LE BATELEUR. – Écoute : il faut bien se montrer habile pour qu'on ait renommée[2] en ville. Car cela pourra nous servir pour satisfaire notre plaisir. Comprends-tu bien ?

25   LE VALET. – Je vous comprends. En amusant à volonté les gens, nous ne prendrons que du bon temps.

LE BATELEUR, *qui, pour attirer les badauds*[3], *va feindre*[4] *maintenant de se disputer avec son valet.* – Que la fièvre puisse te saisir, mon valet !

LE VALET. – C'est dit pour le maître !

30   LE BATELEUR. – D'un étron[5] puisses-tu te repaître, puisque tu jeûnes[6] si souvent !

LE VALET. – Je déjeune souvent de vent : mon ventre est plus clair qu'une verrière ; mais si par hasard j'ai de quoi évacuer mon derrière, entendez-vous ? une part en sera toujours pour vous.

---

1. *Badiner* : divertir, amuser le public.
2. *Pour qu'on ait renommée* : pour être connu.
3. *Badauds* : passants.
4. *Feindre* : faire semblant, simuler.
5. *Étron* : excrément animal ou humain.
6. *Tu jeûnes* : tu te prives de nourriture.

35 LE BATELEUR. – Tu me veux fort souvent du bien. Ho ! mon valet
(l'invitant à faire un nouvel exercice), passe ! reviens ! Maintenant, va me chercher ma tétinette, ma toute mienne, ma
mie Binette. Et aussitôt fais-lui savoir qu'on désire beaucoup
la voir ; car ici il faut s'occuper de déployer notre savoir. Par là
40 nous aurons renommée.

LE VALET. – Mais renommée sans bénéfice, car les dons
deviennent fort rares.

LE BATELEUR. – Va donc.

LE VALET. – Je vais m'y efforcer mieux qu'un valet de la ville. *(Il
45 chante, en s'éloignant.)*

> Je suis amoureux d'une fille ;
> Et pourtant je n'ose le dire,
> La toure lourela.

(Avisant Binette sur un des côtés des tréteaux.) Ma maîtresse, ho !

2

BINETTE. – Qu'y a-t-il ?

LE VALET. – Venez.

BINETTE. – Où ?

LE VALET. – Pourquoi tant parler ! C'est le moment de vous
5 mettre en route. Nous avons tant trotté, marché que nous
avons trouvé un marché pour vendre notre marchandise.

BINETTE. – C'est donc marchandise qui restera pour nous. Jamais
autrement nous n'en profitons. Toutefois, allons.

LE VALET. – Vite. *(Il chante.)*
10 > Elle a les yeux verts et riants,

Et le corps fait à l'avenant[1].
Quand je la vois, mon cœur soupire ;
Et pourtant je n'ose le dire,
La toure lourela.

15 BINETTE. – C'est assez chanté. Charge-moi cela.

(Elle lui montre la malle.)

LE VALET. – Charger ? Mais j'ai le ventre vide ! J'aime beaucoup
mieux la traîner. D'ailleurs, c'est marchandise de rien.

BINETTE. – Alors, au moins, fais-toi valoir[2].

LE VALET. – Je parie bien qu'il va falloir que je recommence à faire
20   mes tours.

(Ils vont rejoindre le bateleur.)

3

LE BATELEUR. – Bientôt, que j'aurai grande foule ! Valet !

LE VALET, *arrivant en traînant la malle.* – Ho !

LE BATELEUR. – Tu as bonne réputation.

LE VALET, *au public.* – Voici Binette des Andelys. Venez la prendre
5   à la volée.

LE BATELEUR, *toujours pour attirer les badauds, jouant sur les malheurs
supposés de sa femme.* – Venez la voir, la désolée ; approchez
tous !

BINETTE. – Ah ! mon mari, embrassez-moi.

---

1. *À l'avenant* : pareillement.
2. *Fais-toi valoir* : montre tes qualités, mets-toi en valeur.

10 LE BATELEUR. – Venez la voir, la désolée.

LE VALET. – Elle est maintenant endeuillée[1] ; on le voit à son chaperon[2].

LE BATELEUR. – Venez la voir, la désolée ; approchez tous !

BINETTE. – Eh ! mon mari.

15 LE BATELEUR. – Dites-moi ce que nous chanterons, pendant que les gens s'assembleront. Mon valet, qui commencera ?

LE VALET. – Ce sera moi.

BINETTE. – Plutôt moi.

LE BATELEUR. – Non, moi.

20 LE VALET. – Que maudit soit qui ce sera !

LE BATELEUR. – Mon valet, qui commencera ?

LE VALET. – Ce sera moi.

BINETTE. – Plutôt moi.

LE BATELEUR. – Non, moi.

25 LE VALET. – Si je vis jusqu'au mois de mai, c'est moi qui serai le maître.

BINETTE. – Cela est honnête.

LE BATELEUR. – Chantons ; cessons cette discussion.

LE VALET. – C'est bien dit. Maîtresse, chantons.

30 BINETTE. – Écoutez donc.

---

1. *Endeuillée* : qui porte le deuil (la mort) d'un proche.
2. *Chaperon* : capuchon. Elle porte un capuchon noir ou bien un morceau de tissu noir qu'elle a accroché à sa coiffe, pour signifier son deuil et sa peine.

LE BATELEUR. – Écoutez donc.

LE VALET. – Écoutez donc, si vous voulez, une plaisante chansonnette.

(Il prélude à sa chanson.)

BINETTE. – Votre gosier est très éraillé !

35 LE VALET. – Quand je ne bois pas, il n'est pas net.

4

Deux femmes entrent.

LE VALET, *en chantant une chanson normande de ce temps-là* :
> Allons à Binette,
> Duron la durette ;
> Allons à Binette
5 > Au Château-Gaillard.

LE BATELEUR, *à son valet.* – Allons ! faites un saut, paillard [1], pour
l'amour des dames. Haut ! sus !

LA PREMIÈRE FEMME, *à sa compagne.* – Ces gens-là nous ont
aperçues. Ils font quelque chose pour nous.

10 LE BATELEUR. – Approchez-vous, approchez-vous, et vous enten-
drez des choses nouvelles.

(Il sort de la malle les portraits de badins célèbres.)

LE VALET. – Venez voir la plus belle des choses. Arrière, arrière !
laissez passer.

---

1. *Paillard* : qui mène une vie joyeuse, faite de plaisirs.

LA DEUXIÈME FEMME. – Il faut que j'aille voir ceci, pour satisfaire
15   mon plaisir.

LE BATELEUR. – Approchez ! Qui veut que je lui en jette ? *(Il fait
semblant de lancer en l'air un portrait.)* Levez les mains !

BINETTE. – On va vous montrer que vous n'avez pu en rencontrer
un qui aura autant fait rire.

20 LE BATELEUR. – J'y ai été, j'y ai été au grand pays de badinage.

LA PREMIÈRE FEMME. – Avez-vous un beau personnage ? Car c'est
cela ce qui nous amène.

LE VALET. – Ils sont tous faits de cette semaine, et les plus beaux
que jamais vous vîtes.

25 LE BATELEUR. – Valet, savez-vous ce que vous dites ? Qui sera le
maître de nous deux ? Laisse-moi parler.

(Nouvelle scène de querelle pour attirer l'attention d'éventuels acheteurs.)

LE VALET. – Oui, mais Binette la désolée, ne faut-il pas qu'elle
parle aussi ? Eh !

LE BATELEUR. – Paix ! sinon je vous étrille[1].

30 BINETTE. – J'aurai mon tour.

LE BATELEUR. – Plutôt de la merde.

LE VALET. – Mangez-la, pour que rien ne se perde ; car qui la
mangera, l'aura.

BINETTE. – Je parlerai.

35 LA DEUXIÈME FEMME. – Elle parlera. Les femmes n'ont-elles pas
leurs caprices ?

---

1. *Je vous étrille* : je vous bats.

LE VALET. – Si elle ne parle pas, elle deviendra folle.

BINETTE. – Je parlerai.

LE VALET. – Elle parlera.

40 LA PREMIÈRE FEMME. – Si elle ne parle pas, elle vous abandon-
nera.

LE BATELEUR. – Et la place en sera plus nette.

BINETTE. – Je parlerai.

LES DEUX FEMMES *ensemble*. – Elle parlera.

45 LA DEUXIÈME FEMME. – Les femmes n'ont-elles pas leurs caprices ?

LE BATELEUR. – Oui, quand elles ont leur humeur triste. Mon
valet en est le témoin.

LE VALET. – C'est vrai. N'en est-il pas ainsi ? *(Il chante, avec
le bateleur.)*

50 Qu'en dira, Binette,
Qui a le cœur gai ?

BINETTE, *tenant un portrait*. – Ho ! qui en veut lève le doigt !

LE BATELEUR. – À sept cents francs !

BINETTE. – Ou à sept sous !

55 LE VALET, *aux éventuels acheteurs*. – Nous n'en sommes pas à sept
sous ! Palsambleu ! personne n'a-t-il plus de monnaie ?

LE BATELEUR. – J'aime autant vendre à crédit[1]. Qui en veut ? Je
vais les ranger.

LE VALET. – Essayons encore de vendre, mon maître.

---

1. Vendre à crédit : vendre en étant payé plus tard.

60 LE BATELEUR. – Vendre ? Mais il vaut mieux troquer [1]. *(Regardant maliceusement les femmes.)* Je serais heureux de faire un échange si je devais être en femme mieux pourvu. Vous n'avez encore rien vu, rien vu.

(Il sort de nouveaux portraits de badins.)

LA PREMIÈRE FEMME. – Vous ne nous montrez que folie. Montrez
65   quelque portrait joli, qui ressemble à l'original.

BINETTE. – Vous verrez maints portraits de gens dont on garde encore la mémoire.

LE VALET. – Et vous n'avez encore rien vu, depuis que vous êtes ici. Voici les badins anciens, voici ceux du temps jadis, qui
70   sont montés en paradis sans souffrir peines ni tourments. Voici maître Gilles des Vaux, Rossignol, Brière, Peuget, et Cardinot qui fait le guet, Robin Mercier, Cousin Chalot, Pierre Regnault, ce bon farceur, eux qui ont remis en honneur les chansons du val de Vire.

75 LA DEUXIÈME FEMME. – Est-ce vrai ?

LE VALET. – Ils sont là-haut ; ils n'ont fait de mal qu'à la boisson.

LE BATELEUR. – Ils ont tous été admis comme chantres [2] de Dieu.

LA PREMIÈRE FEMME. – Est-ce vrai ?

LE BATELEUR. – Ils sont là-haut.

80 LE VALET. – De là-haut ils font des miracles ; car Dieu aime qu'on le serve en bonnes chansons.

LES DEUX FEMMES *ensemble.* – Est-ce vrai ?

---

1. Troquer : échanger.
2. Chantres : chanteurs.

BINETTE. – Ils sont là-haut ; ils n'ont fait de mal qu'à la boisson.

LE BATELEUR. – Je vous dis que Robin Moisson nous l'a
85 récemment révélé. Et voici qu'attendent, bon gré mal gré,
pour chanter dans leur monde meilleur : un surnommé Le
Pardonneur, un Toupinet ou un Coquin, ou un Grenier, tous
aimant le vin qui, en attendant Dieu, permet de les secourir.

LE VALET. – Je ne veux pas encore mourir, car je me trouve bien
90 mieux ici.

LE BATELEUR. – Voici les vivants, les voici. Maintenant je vous les
présente. Voyez !

LA PREMIÈRE FEMME. – Je ne veux pas les manquer ; j'en veux
prendre tout mon plaisir.

95 LA DEUXIÈME FEMME. – Veuillez nous choisir les meilleurs, afin
que nous les achetions.

LE VALET. – Je vais les choisir au hasard en puisant au fond de la
malle.

LA PREMIÈRE FEMME. – Et combien ?

100 LE BATELEUR. – Parlez à Binette. Elle vous fera un prix de tout.

BINETTE. – Nous aurons bientôt tout cherché, sans rien vendre. Je
n'y comprends rien.

LE BATELEUR. – À combien, mes dames, à combien ? À un sou !
On va bien voir, mes dames, qui en voudra maintenant.

105 LA DEUXIÈME FEMME. – Nous n'en voulons pas.

LE BATELEUR. – Je n'y comprends rien. Vous n'aimez que le passe-
temps pour rire en chambre ou au jardin.

LE VALET. – Voici les nouveaux badins, qui dansent le trihori[1]. Voici ce badin de Foury, et le badin de Saint-Gervais : les
110 voulez-vous ?

LA PREMIÈRE FEMME. – Que je les voie ! *(Après un temps.)* Repliez, tout me semble inutile.

LE BATELEUR. – Bien. Et le badin de Sotteville, ou bien celui de Martainville, les voulez-vous ?

115 LA DEUXIÈME FEMME. – Mais c'est Pierrot !

LE VALET. – Saint Jean ! bien sûr, c'est mon frérot. Aussi Le Boursier, Vincenot ; Saint-Fessin, mangeur de rôtis : retenez-le, il est aimable.

LE BATELEUR. – Que tous les autres rentrent dans le coffre ! car
120 vous en êtes fatiguées.

BINETTE. – Voici le badin aux lunettes, et plusieurs autres petits badins qui vous avalent de bons vins : allez-vous nous les retenir ?

LA PREMIÈRE FEMME, *à sa compagne et désignant Binette.* – Son badi-
125 nage s'appauvrit, à vrai dire. Quant à ses compagnons, ils ne valent pas deux oignons, car ils ne savent que chanter : ils nous en feraient devenir folles.

LE VALET. – Vous ne voulez rien nous acheter. Vous êtes fort désireuses de voir nos trouvailles joyeuses. Mais quand vient
130 le temps de payer, vrai ! vous ne voulez rien donner. Alors, retenez bien ceci : chantres et badins sont fatigués. Aussi, grand bien vous fasse, adieu, mesdames !

LA DEUXIÈME FEMME. – De ces dons refusés, nous ne pouvons avoir blâme : nous-mêmes, nous avons besoin qu'on nous donne.

---

1. Trihori : danse venue de Bretagne qui adopte un rythme à trois temps.

135 LE BATELEUR. – Aussi l'honneur vous abandonne. Vous ne voulez
que vos plaisirs, voir accomplir tous vos désirs. Nous compre-
nons bien vos façons.

LE VALET. – S'il survient un trouble-chansons[1], un godelureau[2],
un babillard[3] jouant à l'amoureux gai luron[4], et qu'il vous
140 prenne par la taille, il sera bien mieux écouté qu'une plaisante
chansonnette.

LA PREMIÈRE FEMME. – Que dites-vous ?

LE VALET. – Parlez à Binette.

LA PREMIÈRE FEMME. – Si d'aventure on se moque de nous ou si
145 notre mari nous maudit, à qui pourrons-nous recourir qui
veuille bien nous secourir, sans entendre quelque sornette ?

LE BATELEUR. – Que dites-vous ? Parlez à Binette, qui se tient au
Château-Gaillard.

LA DEUXIÈME FEMME. – Si notre mari est un vieillard qui ne fait
150 que nous quereller, où irons-nous nous amuser ? Nous vou-
drions bien le savoir.

LE VALET. – Si vos maris vous disent : « Que la fièvre te prenne ! »
j'affirme qu'aussitôt il faut leur répondre : « Plutôt vous ! »
C'est ainsi qu'il convient de faire.

155 LES DEUX FEMMES *ensemble*. – Que dites-vous ?

LE VALET. – Parlez à Binette.

LE BATELEUR. – Binette vous en rendra compte.

---

1. *Trouble-chansons* : celui qui perturbe la fête (trouble-fête).
2. *Godelureau* : jeune prétentieux.
3. *Babillard* : qui parle beaucoup et dérange.
4. *Gai luron* : bon vivant qui cherche toujours à s'amuser.

Les conditions de représentation au Moyen Âge

Au Moyen Âge, il n'existe pas de bâtiments spécifiquement dédiés au théâtre. Les spectacles sont joués en plein air, avec des moyens souvent rudimentaires : une simple estrade posée sur des tréteaux ou des barriques, à laquelle on accède par une échelle, et pour tout décor une toile de fond. Les rares acteurs professionnels (la plupart sont des amateurs) se déplacent de villes en villages, au gré des foires et autres festivités. Dans ces conditions, l'interaction avec le public est une composante essentielle du spectacle. Avant la représentation, les comédiens doivent ôter l'échelle afin d'empêcher les spectateurs de monter sur scène.

▲ « Le farceur médecin soutire de l'urine pour son diagnostic », recueil de chants religieux et profanes, 1642 (peinture attribuée au Cambrésien Louis de Caullery).
Même après le Moyen Âge, les conditions de représentation resteront les mêmes dans les foires populaires, où sont jouées les farces. Sur cette image, on voit un spectacle de village du XVIIe siècle, qui utilise encore une estrade montée sur tréteaux, comme dans le théâtre médiéval.

Théâtre sacré...

Le Moyen Âge connaît deux grandes catégories de spectacles : théâtre religieux et théâtre profane (qui ne traite pas de sujets sacrés), étroitement mêlés. Organisé par l'Église, le théâtre sacré représente des passages de la Bible ou la vie des saints, afin d'instruire le peuple. Ces pièces nommées « mystères » durent plusieurs jours, se jouent dans la rue et nécessitent de nombreux acteurs et figurants. La ville entière participe au spectacle.

▶ Jean Fouquet, *Heures d'Étienne Chevalier*, représentation du mystère de sainte Apolline, chrétienne martyrisée en 250 à Alexandrie.

◀ Gravure du XIXᵉ siècle figurant une représentation des Mystères de Coventry, pièces datant du XIVᵉ ou du XVᵉ siècle.

On incorpore dans ce spectacle dramatique des intermèdes comiques, les farces (mot qui vient du verbe « farcir »), afin de détendre les spectateurs.

... théâtre profane

Contrairement aux moralités, pièces allégoriques relevant autant du théâtre religieux que du théâtre profane, les farces et les soties provoquent le rire, vulgaire ou grinçant, sans souci des bienséances (voir p. 6).

▲ Pieter Bruegel, dit le Jeune (1564-1638), *Kermesse flamande*, 1632, Saint-Pétersbourg, musée de l'Hermitage.
Religieuse à l'origine, la kermesse est la fête du saint de la paroisse, mais ne tarde pas à être dominée par les réjouissances profanes. Cette scène campagnarde montre un spectacle théâtral (au centre) qui se déroule en même temps qu'une procession religieuse (à droite).

Au-delà des différences entre profane et sacré, le théâtre au Moyen Âge est un art festif et populaire qui réunit toute la communauté, dans la joie ou la foi, autour de valeurs partagées.

La culture du carnaval au Moyen Âge

Dès l'Antiquité, les Romains célébraient une fête d'inversion des rôles, où les maîtres devenaient les esclaves, et vice-versa. L'Église catholique, ne pouvant interdire cette tradition, la transforme au Moyen Âge en fête des Fous. Pendant une journée, la hiérarchie ecclésiastique est renversée : les jeunes clercs prennent la place des évêques lors de fausses cérémonies, on élit un pape des Fous, on festoie dans les églises et dans la rue... Lors de ce jour de grande liberté, tout un chacun a le droit de transgresser les règles.

▲ Gravure de Pieter van der Heyden, *La Fête des Fous*, Boston, Museum of Fine Arts.

▶ Illustration de *Notre-Dame de Paris* (1831) de Victor Hugo par Louis Boulanger, 1878. Roman se déroulant à la fin du Moyen Âge, *Notre-Dame de Paris* s'ouvre sur l'élection du pape des Fous. Quasimodo, sonneur de cloches, est choisi en raison de sa laideur repoussante.

Peu à peu, ces « fêtes à l'envers » sont soit interdites, soit limitées au jour du carnaval, qui symbolise souvent une lutte entre les forces du bien et celles du mal. Cette fête se situe juste avant la période de carême (un jeûne de quarante jours) : on en profite donc pour « faire gras » et s'amuser avant l'austérité et la pénitence.

Aujourd'hui, le carnaval a perdu son caractère subversif, mais conserve un aspect festif à travers les déguisements, la danse et la musique.

▲ Pieter Bruegel, dit l'Ancien, *Le Combat de Carnaval et de Carême*, 1559, Vienne, Kunsthistorisches Museum.

Questions

1. Qu'est-ce qu'une *sotie* (voir p. 6 de la présentation) ?

2. Quel animal, symbole de sagesse dans l'Antiquité, peut-on voir dans la gravure de Pieter van der Hayden ? Comment interpréter sa présence ?

3. Dans le tableau de Pieter Bruegel l'Ancien, quels personnages représentent Carnaval et Carême ? Sur quoi sont-ils assis ? Que tiennent-ils sur leurs armes ? Décrivez les membres de leurs cortèges.

4. La société très hiérarchisée du Moyen Âge a besoin, périodiquement, de renverser les valeurs et d'inverser les rôles. Comment cet aspect se traduit-il dans *La Farce du Cuvier* ?

La farce : simple témoignage du passé ou genre en constante métamorphose ?

La redécouverte des auteurs gréco-latins à la Renaissance sonne le glas du théâtre médiéval français. Cependant, la farce continue d'exister dans les milieux populaires. Des représentations sont données à Paris par les clercs de la Basoche (le palais de justice) pendant la Renaissance, puis par les bateleurs (jongleurs et comédiens) sur le Pont-Neuf, spectacles très appréciés par le jeune Jean-Baptiste Poquelin, futur Molière... Aujourd'hui, *La Farce du Cuvier* est plus souvent représentée par des compagnies d'amateurs lors de festivals médiévaux. Mais elle offre également un terrain d'expérimentation pour le théâtre contemporain.

► *La Farce du Cuvier* par la compagnie Le Théâtre de l'Orage, mise en scène de Patrice Bousquet, 2011.

▲ *La Farce du Cuvier*
par la compagnie
Le Théâtre du Charivari,
mise en scène de Bruno
Masquelein, 2006.

▶ *La Farce du Cuvier*
par la compagnie
Connaissance des
classiques, Paris, 1978.

© Agence Bernand / CDDS Enguerand

Questions

1. Quelle représentation est la plus fidèle aux conditions de représentation médiévales ?
   Pourquoi ?

2. Dans la mise en scène du Théâtre du Charivari, quel choix de mise en scène
   illustre l'inversion des rôles entre l'homme et la femme ?
   Qu'évoquent l'épouse et la belle-mère chevauchant un balai ?

3. Dans l'interprétation de la compagnie Connaissance des classiques, comment le metteur
   en scène a-t-il représenté le caractère dominateur des femmes ?

L'indémodable scène de ménage

La farce repose le plus souvent sur un canevas typique : un personnage en dupe un autre, et l'une des variations les plus courantes de ce thème est celle du mari trompé. Un autre motif traditionnel, répandu de l'Inde ancienne jusqu'en Occident, est la lutte pour l'autorité au sein du couple. Le cocu ridicule ou le mari dominé par une femme rusée et autoritaire sont une source inépuisable de moqueries.

◄ Scène de ménage entre Sganarelle et Martine, *Le Médecin malgré lui* de Molière, acte 1, scène 1, mise en scène de Colette Roumanoff, théâtre Fontaine, 2011. Cette querelle sans fondement est l'exemple littéraire canonique de la lutte pour le pouvoir entre les époux (voir p. 87-88).

► Molière, *George Dandin ou le Mari confondu*, mise en scène de Jean Hervé Appéré, compagnie Casa Orfea – Scarlett Hohmann de la Croix, avec Sophie Bezard, Mickaël Durand et Claude Gisbert.

Questions

1. Dans *Le Médecin malgré lui*, dressez la liste des éléments qui relèvent de la farce dans l'attitude des personnages et les costumes.

2. En observant la photographie de *George Dandin*, résumez l'intrigue et les rapports entre les trois personnages.

LA PREMIÈRE FEMME. – Vous ne faites pas grand cas de nous ;
mais que vaut de s'en rapporter à vous !

160 LE VALET. – Vous-mêmes, ne faites pas cas de nous. Une personne
de valeur n'appelle pas les poètes « bateleurs » ni « farceurs » ;
mais, à bien choisir, « gens de cœur pleins de tout plaisir ».
Nous n'avons que faire de vos dons ; nous ne prenons plaisir
qu'à nos chansons, pour nous divertir, sans jamais nous en
165 départir[1].

(Les femmes s'éloignent.)

5

BINETTE. – Gardez toujours confiance en Dieu, par Lui vous serez
glorifiés. Qu'importe si l'on nous donne peu ! Riez, chantez et
solfiez[2] ; proclamez haut ébats[3] et jeux, de jour, de nuit et à la
brune[4]. Ne vous soumettez pas à la chose commune. Notre
5 plaisir seul nous suffit. Qui vit comme il est, mieux il vit.

LE BATELEUR. – Récréons-nous[5], promptement chantons.

LE VALET. – Par nous-mêmes faisons-nous valoir. Souci d'argent
est chose vaine[6]. Que nous importe un maigre avoir[7] !
Chantons, faisons notre devoir !

---

1. *Se départir* : se séparer, abandonner, renoncer. Le valet affirme ainsi que
le plus important est le plaisir que prend l'acteur à jouer un rôle pour amuser
les spectateurs, et non l'argent qu'il pourrait récolter.
2. *Solfiez* : chantez les notes.
3. *Ébats* : jeux, fantaisies.
4. *À la brune* : au crépuscule, quand la lumière est encore sombre.
5. *Récréons-nous* : amusons-nous.
6. *Vaine* : inutile.
7. *Un maigre avoir* : une toute petite fortune, très peu de bien.

DOSSIER

Avez-vous bien lu ?

Entourez la bonne réponse parmi les propositions suivantes.

La Farce du Cuvier

1. Le cuvier est :
   A. l'homme responsable du bon entretien des cuves
   B. une cuve de bois dans laquelle on lave le linge
   C. le vigneron qui met le vin en cuve

2. Selon la belle-mère de Jacquinot, si sa femme le bat, c'est :
   A. par amour
   B. par méchanceté
   C. par nécessité

3. Jacquinot refuse de tirer sa femme hors du cuvier :
   A. il est trop occupé à faire le ménage
   B. il s'est blessé à l'épaule
   C. il se venge et s'amuse pour prouver qu'il est le seul maître

4. À la fin de la farce, Jacquinot est heureux :
   A. sa femme est morte
   B. sa belle-mère et sa femme décident de partir vivre ailleurs
   C. sa femme a bien voulu entendre raison

Jenin, fils de rien

1. La mère de Jenin est catégorique :
   A. elle ne sait pas qui est le père de son fils
   B. le père de son fils est mort
   C. Jenin est fils de rien

2. Pour savoir si le prêtre est bien son père :
   A. Jenin va consulter le devin

B. Jenin appelle le médecin

C. Jenin interroge à nouveau sa mère

3. Le devin se vante :

    A. de savoir lire les lignes de la main

    B. d'être le maître dans l'examen des urines

    C. de pouvoir hypnotiser qui il veut

4. Pour mettre tout le monde d'accord, le devin conclut que Jenin :

    A. n'est le fils de personne

    B. est le fils de sa mère et du prêtre

    C. est le fils de sa mère et d'un pourpoint

Le Bateleur

Voici un résumé de l'action du *Bateleur*. Certains mots ont été effacés. À vous de les remettre à leur place pour que l'histoire ait un sens.

Mots à placer : acteurs, badins, Binette, chanter, chercher, disputer, divertir, femmes, importance, malle, marchandise, misère, payer, spectacle, spectateurs, valet.

Le bateleur tente d'attirer les............... en feignant de se............... avec son............... Voyant que cela ne suffit pas, il l'envoie............... sa femme, ..., qui arrive avec une grande............... Deux............... s'approchent, amusées par le............... Le bateleur et sa femme en profitent pour sortir leur............... : des portraits de............... célèbres. Les femmes aiment être diverties mais ne peuvent............... Les............... ne leur en veulent pas. Leur............... est sans............... tant qu'ils peuvent rire, ... et............... les foules.

———————

Qui dit quoi?

Associez à chacune de ces phrases celui qui la prononce.

Jacquinot •

La femme
de Jacquinot •

La belle-mère
de Jacquinot •

Jenin •

La mère de Jenin •

Le prêtre •

Le devin •

Le bateleur •

Son valet •

Binette •

• Je parie bien qu'il va falloir que je
recommence à faire mes tours.

• Ce sera écrit, puisqu'il me plaît.
Dépêchez-vous, et puis signez.

• Sur ma foi, Notre-Dame, je jure
que celui-ci est mon enfant.

• Quelle chose extraordinaire, que
vous ne connaissiez pas mon
père! Qui le sait donc?

• Notre plaisir seul nous suffit.
Qui vit comme il est, mieux il vit.

• Je serai donc le maître désormais,
puisque ma femme enfin l'accorde.

• Tu me causes beaucoup de peine.
Je te le dis sans discussion: tu es
mon fils.

• De là je vois qu'elle est sa mère;
mais de son père, je ne sais point.

• Il faut agir au gré de sa femme;
oui, vraiment, quand elle vous
le commande.

• Dites-moi ce que nous chanterons,
pendant que les gens s'assembleront.

À chacun son rôle

Un personnage d'une des trois farces du recueil se cache derrière chacun de ces portraits. Saurez-vous, sans hésitation, retrouver de qui il s'agit ?

1. Je voudrais bien être le maître chez moi, mais ma femme me mène la vie dure et m'impose sa loi.
Je m'appelle..

2. Mon métier est passionnant ! Je divertis, j'amuse les foules sur les places publiques. C'est mon plaisir et mon gagne-pain.
Je suis..

3. Je suis venu pour une histoire délicate. Je dois découvrir le père d'un jeune homme. Est-ce le prêtre ou un autre ? Je l'ignore, mais je sais parfaitement qui est sa mère !
Je suis..

4. J'aimerais savoir qui est mon père. Je pense que c'est le prêtre mais ma mère m'affirme le contraire. Même les dons du devin ne m'aident pas, si bien que je suis fils de rien !
Je m'appelle..

5. Je n'ai pas l'intention de m'épuiser en faisant le ménage, j'obligerai bien mon mari à le faire. Je ne lui laisserai pas le choix, il devra se soumettre à ma volonté et ma mère m'y aidera.
Je suis..

6. J'accompagne mon mari et l'aide à séduire le public.
Je m'appelle..

Microlectures

 MICROLECTURE N° 1 : *La Farce du Cuvier*, scènes 1 et 2

Le monologue¹ de Jacquinot

Relisez la première scène, p. 15-16, puis répondez aux questions suivantes.

1. Le texte que vous lisez est traduit de l'ancien français. Dans la version originale de *La Farce du Cuvier*, le monologue de Jacquinot était écrit en vers, avec des rimes, qui aidaient sans doute l'acteur à mémoriser son texte. La pièce que vous avez lue en garde une trace : relevez les mots qui riment entre eux dans cet extrait (par exemple « ménage » et « orage », l. 2).

2. Quelle est la situation de Jacquinot au début de la pièce ?

3. Jacquinot se plaint de l'attitude de sa femme et de sa belle-mère. Relevez dans cet extrait des mots ou phrases qui expriment son mécontentement.

4. Qui est donc le plus fort au début de la pièce ?

Le rôlet²

Relisez la deuxième scène, de « Écrivez donc, pour qu'on puisse lire » à « de ne jamais faire autre chose que ce qui est dans mon rôlet » (p. 17-22), puis répondez aux questions suivantes.

1. Essayez, de mémoire, d'écrire la liste complète des tâches qui figurent sur le rôlet de Jacquinot, puis lisez-la à un camarade qui devra la commenter. Est-elle complète ? Les corvées sont-elles données dans l'ordre ? Avez-vous utilisé les mêmes verbes que Jacquinot ou vous êtes-vous servi de synonymes ?

---

1. *Le monologue* : voir le «Petit glossaire du théâtre», p. 96.
2. *Le rôlet* : voir note 5, p. 17.

2. Montrez que la mère et la fille sont complices et unies contre Jacquinot.

3. Relevez les passages qui montrent que Jacquinot se plie aux volontés de sa femme et obéit sous la menace. Vous vous appuierez sur les répliques et les didascalies [1].

4. En quoi la dernière phrase prépare-t-elle le retournement final ?

 Atelier d'écriture

Avec deux camarades, écrivez une courte scène de théâtre dans laquelle l'un des personnages devra copier une liste de tâches dictée par d'autres. Il s'agit de faire rire les spectateurs en mettant en scène un retournement de situation : ce sont ceux qui d'ordinaire obéissent qui dicteront les règles à un personnage qui incarne normalement l'autorité. Vous pourrez par exemple montrer un parent face à ses enfants, un professeur confronté à ses élèves, un roi renversé par ses sujets... Utilisez des infinitifs variés (verbes appartenant aux trois groupes) pour détailler les corvées qui lui sont imposées.

 MICROLECTURE N° 2 : *Jenin, fils de rien*, scène 2

Relisez la deuxième scène de la farce *Jenin, fils de rien* (p. 34-38), puis répondez aux questions suivantes.

1. Comment la mère de Jenin parvient-elle à éviter les questions de son fils ?

2. Pourquoi ses explications font-elles rire ?

3. En quoi la dernière réplique de Jenin montre-t-elle qu'il est moins bête qu'il n'en a l'air ?

---

1. *Les didascalies* : voir le «Petit glossaire du théâtre», p. 96.

Les types de comique

Les trois farces de ce recueil ont toutes pour objectif d'amuser les spectateurs, en usant d'effets comiques. On distingue traditionnellement quatre grands types de comique, dont vous pourrez chercher des exemples dans les farces du Moyen Âge :

– Le **comique de mots** utilise le langage : l'effet comique provient de la façon dont est prononcé un mot, de sa répétition ou d'un jeu de mots.

– Le **comique de gestes** provoque le rire par des jeux de scène : poursuites, coups de bâton, gifles, chutes, mimiques...

– Le **comique de caractère** vient de la personnalité d'un personnage qui ne parvient pas à cacher ses défauts.

– Le **comique de situation** est créé par une situation inattendue, que comprend le spectateur mais que ne perçoivent pas clairement tous les personnages : par exemple, un personnage caché entend ce qu'il ne devrait pas entendre, ou bien une personne est prise pour une autre, ce qui cause un malentendu.

▶ MICROLECTURE N° 3 : *Le Bateleur*, scènes 1 à 4

Relisez la farce du *Bateleur*, du début jusqu'à « Je vais les ranger » (p. 53-60), puis répondez aux questions suivantes.

1. Quel est le point de départ de la fausse querelle entre le valet et le bateleur ?

2. Montrez que le valet est impertinent [1] et se moque de son maître. Pourquoi peut-on dire qu'il y a inversion des rôles ?

3. Pour faire rire les spectateurs, la farce joue sur le comique de mots [2] : relevez des exemples de jeux de mots et de répétitions humoristiques.

---

1. *Impertinent* : insolent.
2. Voir l'encadré, « Les types de comique », ci-dessus.

Du texte à la scène

Choisissez cinq acteurs et mettez en scène ce passage. Avant de jouer le texte, vous réfléchirez aux déplacements des acteurs, aux décors et aux costumes. Vous prendrez soin, en jouant le passage, de bien mettre en valeur les répliques qui reviennent sous forme de refrain.

Parlons théâtre !

Le vocabulaire théâtral

Le théâtre est un genre littéraire qui possède ses règles et son vocabulaire. Pour bien le comprendre, il faut connaître la définition des mots techniques qui permettent de l'étudier. À vous de les retrouver.

réplique •
didascalie •
monologue •
tirade •
tréteaux •
scène •
mise en scène •
rideau •
acte •
aparté •

• scène où le personnage parle seul

• estrade sur laquelle sont jouées les farces

• indication sur le jeu des acteurs

• courte réponse d'un personnage à un autre

• longue suite de phrases récitée par un personnage

• toile qui sépare la scène de la salle

• grande division d'une pièce de théâtre

• parole que l'acteur prononce à voix basse pour que seuls les spectateurs entendent

• division d'un acte

• adaptation d'une pièce de théâtre sur la scène

La farce

Pour découvrir les caractéristiques de ce genre, lisez la présentation, puis répondez aux questions suivantes en entourant la bonne réponse.

1. Environ deux cents farces ont été conservées. Elles ont été écrites :

A. entre 1789 et 1810

B. entre 1450 et 1550

C. au XIIᵉ siècle

2. La farce du Moyen Âge s'inscrit dans l'héritage :

A. de la commedia dell'arte

B. des comédies de Molière

C. des comédies latines de Plaute

3. Les farces mettent en scène sur le mode comique :

A. des personnages de la vie quotidienne

B. des rois et des princes

C. des chevaliers au grand cœur

4. Les farces sont jouées :

A. sur les places publiques

B. dans les églises

C. dans les tavernes

5. Les acteurs font rire par leur apparence :

A. parce qu'ils jouent nus

B. parce qu'ils ont le visage enfariné ou taché d'encre

C. parce qu'ils portent des masques hilares

6. Ceux qui jouent les farces sont appelés :

A. des badins

B. des badauds

C. des troubadours

Enrichissez votre vocabulaire

Un peu d'ordre dans vos dictionnaires

Certains mots de la pièce sont rares ou vieillis. Retrouvez leur sens en rendant à chacun la définition qui lui correspond. Vous chercherez ensuite dans quelle phrase de *La Farce du Cuvier* chacun de ces termes est utilisé.

rustre •	• appliquée et zélée
mouture •	• activité permettant de faire diversion
perfide •	• punir sévèrement
diligente •	• en cachette
à la dérobée •	• homme grossier et brutal
piteux •	• maladie de peau
accoutrer •	• grains de blé réduits en farine
alibi •	• minable, miteux
gale •	• habiller de manière ridicule
châtier •	• traître, fourbe, scélérat

À chacun son champ

Les trois pièces que vous venez de lire abordent des sujets très différents (la scène de ménage, la paternité, l'univers et la mission des acteurs). À vous de classer correctement, dans le tableau proposé p. 78, les mots suivants en les associant au champ lexical qui convient.

affectueusement – astiquer – balai – soigneusement –
se chamailler – géniteur – chicaneur – paternel – violemment -
décor – dispute – divertir – drôle – élever –
engendrer – jouer – joyeusement – lessive – querelle – ordonné –
père – propre – réprimander – rincer – talentueux

Champ lexical	Noms	Verbes	Adjectifs	Adverbes
La scène de ménage				
Les tâches ménagères				
La paternité				
Les acteurs				

Je compare, tu compares, il compare…

1. Jacquinot et sa femme aiment utiliser des comparaisons pour rendre leurs pensées plus claires. Ce langage imagé est un des ressorts du comique. Reformez les comparaisons complètes puis expliquez-les.

Toujours ma femme se démène •

Aller, venir, trotter, courir, et vous démener •

Je vais vous battre •

Il ne restera qu'à m'aider à tordre la lessive auprès du cuvier, vif et prompt •

Vous êtes pire •

• qu'un chien mâtin

• comme un danseur

• comme un diable

• plus que plâtre

• comme un épervier

2. Dans le langage courant, les comparaisons sont nombreuses. Retrouvez les expressions suivantes, et laissez cours à votre imagination en en inventant d'autres.

Avec des animaux

- malin comme un ....
- sale comme un ....
- doux comme un ....
- têtu comme une ....
- rusé comme un ....

Avec des couleurs

- .... comme une pivoine
- .... comme neige
- .... comme un cachet d'aspirine
- .... comme un coing
- .... comme du jais

3. Ces comparaisons sont si souvent utilisées qu'elles ne nous surprennent plus. À l'inverse, certains écrivains créent des images étonnantes. Comment comprenez-vous ce vers du poète Paul Eluard : « la terre est bleue comme une orange [1] » ?

Sens propre / sens figuré

Définitions

L'histoire de *La Farce du Cuvier* semble illustrer les expressions imagées « laver son linge sale en famille » et « être dans de beaux draps ».

Pour vous familiariser avec les expressions figurées, retrouvez la définition des expressions suivantes.

être sur les rotules •	• se quereller violemment
caresser dans le sens du poil •	• ressentir des picotements
prendre ses jambes à son cou •	• faire la paire
se crêper le chignon •	• travailler durement
avoir froid dans le dos •	• provoquer la peur
avoir des fourmis dans les jambes •	• faire parler
suer sang et eau •	• être très fatigué
donner la chair de poule •	• se sauver sans attendre
s'entendre comme larrons en foire •	• être effrayé
tirer les vers du nez •	• flatter

---

1. Paul Eluard, *L'Amour la poésie*, Gallimard, 1929.

Retrouvailles

Complétez les expressions imagées suivantes, puis donnez leur signification. Pouvez-vous en citer d'autres ?

• Coûter... de la tête

• Avoir... dans la main

• Faire... de grue

• Couper... en quatre

✎ Atelier d'écriture

Choisissez une expression imagée de votre choix, puis inventez un court scénario humoristique qui jouera sur le sens propre et le sens figuré.

Vous pouvez également illustrer cette expression en faisant clairement apparaître le sens propre : vous dessinerez par exemple un chat qui sort d'une bouche pour « avoir un chat dans la gorge ».

Pour vous aider, vous pouvez consulter les albums d'Alain Le Saux, *Ma maîtresse dit qu'il fallait bien posséder la langue française* [1] et *Mon copain Max m'a dit qu'il comptait sur son papa pour faire ses devoirs de mathématiques* [2].

---

1. Alain Le Saux, *Ma maîtresse dit qu'il fallait bien posséder la langue française*, Rivages, 1985.

2. Alain Le Saux, *Mon copain Max m'a dit qu'il comptait sur son papa pour faire ses devoirs de mathématiques*, Rivages, 1996.

La scène de ménage au théâtre

(groupement de textes)

Dans ces trois farces du Moyen Âge, les disputes sont à l'honneur, qu'elles opposent mari et femme, mère et fils, ou maître et valet. Les scènes de querelle sont nombreuses au théâtre où elles constituent un moteur efficace de l'action. Ce sont des épisodes privilégiés dans les comédies, car elles sont l'occasion de faire rire les spectateurs : les auteurs peuvent créer des effets comiques en jouant avec les mots (niveau de langue familier, insultes…) et les gestes (les poursuites et les coups, par exemple) [1]. Ces disputes prennent souvent la forme d'un affrontement entre mari et femme, comme dans *La Farce du Cuvier*. Voici trois autres exemples de scènes de ménage au théâtre.

Le Savetier Calbain

Cette farce du Moyen Âge met en scène deux époux : la femme de Calbain aimerait s'acheter une robe mais son mari est sourd à sa demande. Exaspérée, elle décide de lui voler sa bourse.

CALBAIN. – Vraiment, je suis bien malmené. Parbleu ! je vous rosserai [2] bien.

LA FEMME, *même jeu* [3] – "Maudit soit le petit chien
Qui aboie, aboie, aboie,
Qui aboie et ne voit rien !"

CALBAIN. – Je vois bien qu'il faut me fâcher. Palsambleu, vieille damnée, je vais vous faire pleuvoir des coups ! Je sais bien, tu me l'as ôtée, ma bourse ; j'en suis assuré.

---

1. Voir l'encadré p. 74.
2. *Je vous rosserai* : je vous battrai.
3. *Même jeu* : de même que pour ses précédentes répliques, la femme répond en chantant.

LA FEMME. – Si vous me touchez, je vous ferai mettre (*elle chante*)
            "À la prison du château,
            Nique, nique, nique,
            À la prison du château,
            Nique, noqueau."

CALBAIN. – Par saint Jean, me voilà bien beau ! Tu sais qu'il faut m'acheter des souliers. Faut-il t'en parler ? Rends-moi ma bourse, s'il te plaît.

LA FEMME. – Eh ! que vous êtes contrariant ! Cherchez votre bourse, autre part.

CALBAIN. – Qu'à cela Lucifer [1] ait part ! rendez vite ; dépêchez-vous.

LA FEMME. – En jurant, cet homme-ci fait des péchés à couvrir tout autre de honte.

CALBAIN. – Je vais te battre comme plâtre, si tu ne me rends aussitôt ma bourse !

LA FEMME. – Que Dieu me pardonne, s'il faut que je me courrouce [2] ! Que diable vous faut-il ?

CALBAIN, *la battant*. – Vous en aurez, et tout de suite. Rendez-moi ma bourse aussitôt.

LA FEMME. – Au meurtre ! Tu m'as, rustre [3], meurtrie, vieux cocu, roi des sots.

CALBAIN. – Mais serai-je toujours trompé par cette vieille caqueteuse [4] ? C'est la femelle la plus dangereuse que j'ai jamais vue de l'année. Mais, sur ma foi, vieille damnée, je montrerai que je suis le maître ! Volontiers tu m'enverrais paître. Mais tu n'y arriveras pas.

LA FEMME. – Par le jour qui luit, je ne coucherai plus dans ton lit. Vraiment, je ne t'ai jamais fait tort. Penses-tu que c'est bel

---

1. *Lucifer* : le diable.
2. *Me courrouce* : me fâche.
3. *Rustre* : voir note 3, p. 22.
4. *Caqueteuse* : bavarde, voir note 1, p. 37.

apport que de m'appeler larronnesse[1] ? Je fais à Dieu vœu et promesse que je te renie à jamais.

(Et elle fit mine de partir.)

CALBAIN, *calmé, la retient.* – Ah ! taisez-vous, m'amie. Paix ! paix ! Je reconnais que c'est ma faute. Oui, j'ai la tête un peu trop chaude. Supportez-moi comme je suis. Mais, sans plus d'enquête, dites-moi qui l'a prise. Vous ne l'avez pas ? Mais quand j'examine mon cas, où pourrais-je bien l'avoir mise ? Elle l'a ; elle ne l'a pas. Elle l'a prise ; mais alors, elle le saurait. Et moi je ne le saurai jamais. Au diable puisse aller la bourse ! Mais pourquoi l'a-t-elle prise ? Aussi, elle ne l'a pas prise ; si, elle l'a. Non, elle ne l'a pas ; si, elle l'a. Non, elle ne l'a pas ; si, elle l'a. Mais que diable pourrais-je faire, je ne sais, pour bien terminer cela ? Que je sois envers Dieu infâme, si jamais je me fie à ma femme ! en elle il n'est qu'altercation.

Adresse au public.

CALBAIN. – Or, pour toute conclusion, tel sonne de la trompe au loin, qui est trompé. Trompeurs sont par tromperies trompés. Trompant, trompetiez au trompé : l'homme est trompé. Adieu, trompeurs ; adieu, messieurs. Excusez le trompeur et sa femme.

Farces du Moyen Âge, trad. A. Tissier, Flammarion,
GF-Flammarion, 1984, p. 109-113.

1. Quel semble être l'unique pouvoir de Calbain sur sa femme ?

2. Pourquoi cède-t-il ? De quoi a-t-il peur ?

3. La morale qui clôt cet extrait a été illustrée dans d'autres histoires. Cherchez quelle fable de La Fontaine met en scène un trompeur trompé.

---

1. *Larronnesse* : féminin de larron, désigne un malfaiteur, un escroc.

Molière, *Le Médecin malgré lui* (1666)

Cette comédie de Molière s'ouvre sur une scène de ménage. Comme dans *La Farce du Cuvier*, il s'agit de savoir qui est le maître. Sganarelle se plaint de son mariage, mais le ton est autrement plus vigoureux que celui employé par Jacquinot. Et cette scène de ménage se terminera sur des coups de bâton, seul moyen que trouve Sganarelle pour « apaiser » sa femme !

SGANARELLE. – Non, je te dis que je n'en veux rien faire, et que c'est à moi de parler et d'être le maître.

MARTINE. – Et je te dis, moi, que je veux que tu vives à ma fantaisie, et que je ne me suis point mariée avec toi pour souffrir tes fredaines [1].

SGANARELLE. – Ô la grande fatigue que d'avoir une femme ! et qu'Aristote [2] a bien raison, quand il dit qu'une femme est pire qu'un démon !

MARTINE. – Voyez un peu l'habile homme, avec son benêt [3] d'Aristote !

SGANARELLE. – Oui, l'habile homme : trouve-moi un faiseur de fagots [4] qui sache, comme moi, raisonner des choses, qui ait servi six ans un fameux médecin, et qui ait su, dans son jeune âge, son rudiment [5] par cœur.

MARTINE. – Peste de fou fieffé [6] !

SGANARELLE. – Peste de la carogne [7] !

---

1. *Souffrir tes fredaines* : supporter tes caprices.

2. *Aristote* : philosophe grec de l'Antiquité.

3. *Benêt* : idiot.

4. *Faiseur de fagots* : bûcheron.

5. *Rudiment* : manuel de grammaire latine pour les débutants. Au XVIIe siècle, le latin était la langue utilisée par les gens cultivés.

6. *Fou fieffé* : le plus grand fou du monde (l'expression désigne ici Sganarelle).

7. *Carogne* : femme mauvaise.

MARTINE. – Que maudit soit l'heure et le jour où je m'avisai d'aller dire oui !

SGANARELLE. – Que maudit soit le bec cornu[1] de notaire qui me fit signer ma ruine !

MARTINE. – C'est bien à toi, vraiment, à te plaindre de cette affaire. Devrais-tu être un seul moment sans rendre grâce au Ciel de m'avoir pour ta femme ? et méritais-tu d'épouser une personne comme moi ?

SGANARELLE. – Il est vrai que tu me fis trop d'honneur, et que j'eus lieu de me louer[2] la première nuit de noces ! Hé ! morbleu ! ne me fais point parler là-dessus : je dirais de certaines choses…

MARTINE. – Quoi ? que dirais-tu ?

SGANARELLE. – Baste[3], laissons-là ce chapitre. Il suffit que nous savons ce que nous savons, et que tu fus bien heureuse de me trouver.

> Molière, *Le Médecin malgré lui*, 1666, Flammarion, coll. « Étonnants Classiques », 2016, Acte I, scène 1, p. 35-36.

1. Quel type de comique[4] identifiez-vous dans cet extrait ? Justifiez votre réponse.

2. Que reproche Martine à Sganarelle ?

3. Écrivez la suite de cette scène en introduisant un autre type de comique (comique de geste, comique de situation…).

---

1. *Bec cornu* : idiot (de l'italien *becco cornuto*, le bouc).
2. *J'eus lieu de me louer* : j'ai eu bien des raisons de me féliciter ; l'expression est ici ironique de la part de Sganarelle, qui garde apparemment un mauvais souvenir de la première nuit passée avec sa femme.
3. *Baste* : assez (de l'italien *basta*).
4. Voir l'encadré p. 74.

◎ Molière, *George Dandin ou le Mari confondu* (1668)

George Dandin, paysan, s'est marié pour son infortune avec une jeune fille de l'aristocratie, Angélique. Il vient d'apprendre, par hasard, que Clitandre courtise sa femme. Il veut les confondre [1] et prendre à témoin ses beaux-parents, pour qu'ils condamnent avec lui la mauvaise conduite d'Angélique. Mais la jeune femme parvient toujours à avoir le dernier mot contre son mari, qui finit par renoncer à cette union.

GEORGE DANDIN. – Je vous dis encore une fois que le mariage est une chaîne à laquelle on doit porter toute sorte de respect, et que c'est fort mal fait à vous d'en user comme vous le faites. Oui, oui, mal fait à vous ; et vous n'avez que faire de hocher la tête, et de me faire la grimace.

ANGÉLIQUE. – Moi ! Je ne sais ce que vous voulez dire.

GEORGE DANDIN. – Je le sais fort bien, moi ; et vos mépris me sont connus. Si je ne suis point né noble, au moins suis-je d'une race [2] où il n'y a pas de reproche, et la famille des Dandins…

CLITANDRE, *derrière Angélique, sans être aperçu de Dandin.* – Un moment d'entretien.

GEORGE DANDIN. – Eh ?

ANGÉLIQUE. – Quoi ? Je ne dis mot.

GEORGE DANDIN. – Le voilà qui vient rôder autour de vous.

ANGÉLIQUE. – Hé bien, est-ce ma faute ? Que voulez-vous que j'y fasse ?

GEORGE DANDIN. – Je veux que vous y fassiez ce que fait une femme qui ne veut plaire qu'à son mari. Quoi qu'on puisse en dire, les galants n'obsèdent [3] jamais que quand on le veut bien. Il y a un certain air doucereux qui les attire, ainsi que le miel fait les

---

1. *Les confondre* : prouver publiquement qu'ils ont commis une faute.
2. *Race* : ici, famille, ascendance.
3. *N'obsèdent* : ici, ne tourmentent, ne poursuivent.

mouches[1] ; et les honnêtes femmes ont des manières qui les savent chasser d'abord[2].

ANGÉLIQUE. – Moi, les chasser ? et par quelle raison ? Je ne me scandalise point qu'on me trouve bien faite, et cela me fait du plaisir.

GEORGE DANDIN. – Oui. Mais quel personnage voulez-vous que joue un mari pendant cette galanterie ?

ANGÉLIQUE. – Le personnage d'un honnête homme qui est bien aise de voir sa femme considérée.

GEORGE DANDIN. – Je suis votre valet[3]. Ce n'est pas là mon compte[4], et les Dandins ne sont point accoutumés[5] à cette mode-là[6].

ANGÉLIQUE. – Oh ! les Dandins s'y accoutumeront s'ils veulent. Car pour moi, je vous déclare que mon dessein[7] n'est pas de renoncer au monde, et de m'enterrer toute vive dans un mari. Comment ? parce qu'un homme s'avise de nous épouser, il faut d'abord que toutes choses soient finies pour nous, et que nous rompions tout commerce[8] avec les vivants ? C'est une chose merveilleuse que cette tyrannie de Messieurs les maris, et je les trouve bons[9] de vouloir qu'on soit morte à tous les divertissements, et qu'on ne vive que pour eux. Je me moque de cela, et ne veux point mourir si jeune.

GEORGE DANDIN. – C'est ainsi que vous satisfaites aux engagements de la foi que vous m'avez donnée publiquement ?

---

1. *Ainsi que le miel fait les mouches* : comme le miel attire les mouches.
2. *D'abord* : ici, immédiatement, dès la première rencontre.
3. *Je suis votre valet* : formule de politesse employée ici de façon ironique.
4. *Ce n'est pas là mon compte* : cela ne me convient pas.
5. *Accoutumés* : habitués.
6. *À cette mode-là* : à cette attitude, à ces façons.
7. *Mon dessein* : mon intention.
8. *Tout commerce* : toute relation.
9. *Je les trouve bons* : je les trouve ridicules (l'adjectif « bons » est ici employé de façon ironique).

ANGÉLIQUE. – Moi ? Je ne vous l'ai point donnée de bon cœur, et vous me l'avez arrachée. M'avez-vous, avant le mariage, demandé mon consentement, et si je voulais bien de vous ? vous n'avez consulté, pour cela, que mon père et ma mère ; ce sont eux proprement [1] qui vous ont épousé, et c'est pourquoi vous ferez bien de vous plaindre toujours à eux des torts que l'on pourra vous faire [2]. Pour moi, qui ne vous ai point dit de vous marier avec moi, et que vous avez prise sans consulter mes sentiments, je prétends n'être pas obligée à me soumettre en esclave à vos volontés ; et je veux jouir, s'il vous plaît, de quelque nombre de beaux jours que m'offre la jeunesse, prendre les douces libertés que l'âge me permet, voir un peu le beau monde, et goûter le plaisir de m'ouïr [3] dire des douceurs. Préparez-vous-y, pour votre punition, et rendez grâces au Ciel de ce que je ne suis pas capable de dire quelque chose de pis [4].

GEORGE DANDIN. – Oui ! c'est ainsi que vous le prenez. Je suis votre mari, et je vous dis que je n'entends pas cela [5].

ANGÉLIQUE. – Moi je suis votre femme, et je vous dis que je l'entends.

GEORGE DANDIN. – Il me prend des tentations d'accommoder tout son visage à la compote, et le mettre en état de ne plaire de sa vie aux diseurs de fleurettes [6]. Ah ! Allons, George Dandin ; je ne pourrais me retenir, et il vaut mieux quitter la place.

Molière, *George Dandin*, 1668, Flammarion,
coll. «Étonnants Classiques», 2013, Acte II, scène 2, p. 62-66.

---

1. *Proprement* : à proprement parler, en réalité.
2. *M'avez-vous [...] des torts que l'on pourra vous faire* : Angélique a été mariée par ses parents sans son consentement, selon une pratique courante au XVIIe siècle.
3. *Ouïr* : entendre.
4. *Pis* : pire.
5. *Je n'entends pas cela* : je m'y oppose.
6. *Aux diseurs de fleurettes* : aux séducteurs.

1. Pourquoi Georges Dandin choisit-il de partir ?
2. Selon vous, lequel des deux personnages a l'ascendant sur l'autre ?
3. Quel thème sérieux est abordé dans cette scène comique ?

 Place au débat

Ces scènes de comédie donnent à voir des situations sérieuses sous un jour humoristique. Que pensez-vous de cette façon de présenter des scènes de ménage ?

Atelier d'écriture

En vous inspirant des trois farces du recueil et des textes du groupement, écrivez à votre tour une scène de comédie dans laquelle deux personnages se disputent. Quelle est leur relation ? À quel sujet se querellent-ils ? Qui domine l'autre ? Pensez à utiliser différents types de comique [1]. Vous veillerez également à respecter les caractéristiques formelles du texte théâtral, en utilisant des répliques et des didascalies [2].

---

1. Voir l'encadré p. 74.
2. *Didascalies* : voir le «Petit glossaire du théâtre», p. 96.

La farce 2.0

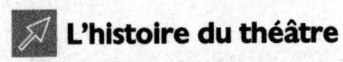

L'histoire du théâtre

En naviguant sur différents sites Internet, il est possible de se représenter ce qu'étaient les farces au Moyen Âge.

Saisissez « la farce au Moyen Âge » dans votre moteur de recherche, puis rendez-vous sur les sites suivants :

www.larousse.fr/encyclopedie/divers/farce/51217

www.espacefrancais.com/la-farce/

Lisez les articles puis répondez aux questions suivantes.

1. Combien de farces a-t-on retrouvées ?

2. Citez plusieurs titres de farces.

3. Résumez deux de ces farces en quelques phrases. Qui sont les personnages ? Quelles sont les principales étapes de l'histoire ? Comment se finissent-elles ?

4. Connaît-on les auteurs des farces ? Si oui, donnez leur nom ; si non, expliquez pourquoi ils nous sont inconnus.

5. Quelle est la farce la plus connue aujourd'hui ?

6. Quelle est la date présumée de la première farce ? et celle de la dernière ? Placez ces deux dates sur une frise chronologique : pendant combien d'années ce genre a-t-il été populaire ?

7. Quelles pièces à la mode au XIXᵉ siècle sont les héritières directes de la farce médiévale ? Qui en sont les auteurs ? Placez-les sur la frise.

8. Vous connaissez peut-être d'autres auteurs de théâtre. Placez-les sur la frise, puis cherchez des portraits de ces derniers en ligne ou dans vos manuels et choisissez-en un que vous collerez sur votre frise chronologique.

Histoire de la langue

D'où vient donc le mot « **farce** » ? Les sites mentionnés précédemment offrent sur ce point quelques éclaircissements, mais vous pouvez aussi vous rendre sur un site spécialisé en étude de la langue : le CNRTL [1].
Rendez-vous sur le site **www.cnrtl.fr**, puis cliquez sur « Portail lexical ». Différents dictionnaires vous sont proposés : cliquez sur le lien du « Trésor de la Langue Française informatisé » et recherchez le mot « farce ». Lisez la notice puis répondez aux questions suivantes.

1. Le dictionnaire propose deux entrées, correspondant à deux mots qui n'ont pas le même sens. Que désigne le terme « farce » dans la première entrée ?

2. Que désigne le nom « farce » dans la deuxième entrée ? De quel mot du latin médiéval provient-il ? Que signifiait-il ?

3. Le terme s'est éloigné du sens qu'il avait en latin pour finalement désigner un genre théâtral. Comment cette évolution s'est-elle produite ?

5. Quel autre nom peut-on employer pour parler d'une pièce insérée entre deux morceaux ? Un indice : c'est aussi un terme musical !

6. Le mot « farce » est utilisé pour désigner des réalités très diverses.
Expliquez les expressions suivantes :
  – Avoir le goût de la farce.
  – Être le dindon de la farce.
  – Une boutique de farces et attrapes.

---

1. *Le Centre National de Ressources Textuelles et Lexicales* (CNRTL) : créé en 2005 par le CNRS (Centre national de la recherche scientifique), ce site réunit des ressources linguistiques informatisées (dictionnaires de la langue française, dictionnaires étymologiques…) et des outils de traitement de la langue.

✒ Que le spectacle commence !

Plusieurs interprétations de *La Farce du Cuvier* sont disponibles en ligne, notamment sur YouTube. Vous pourrez regarder les vidéos de plusieurs troupes :
- les Théâtreux de la Paillasse ;
- la Compagnie Myriade (extraits de plusieurs farces du Moyen Âge).

Pour mieux comparer ces deux représentations, reproduisez puis complétez le tableau suivant :

Représen-tation	Décors, accessoires, éclairage, musique	Costumes, coiffure, maquillage	Gestuelle	Le texte (respect ou variation)	Ce que vous avez aimé/ moins aimé dans l'inter-prétation
1.					
2.					

✒ *La Farce du Cuvier* dans tous ses états !

La Farce du Cuvier a été adaptée en bande dessinée par Simon Léturgie[1]. Cherchez « Farce du Cuvier Simon Léturgie » dans votre moteur de recherche puis observez les images qui s'affichent.
Sur le site **eigrutel.free.fr/Series/Commedia/Cuvier/Cuvier.htm**, vous trouverez des planches de cette bande dessinée avec des bulles vierges. Pouvez-vous identifier à quel passage de la pièce ces planches correspondent et retrouver le texte ? Qu'apporte le dessin, à votre avis ?

---

1. Simon Léturgie, *La Farce du Cuvier*, Vents d'Ouest, 2005.

Un livre, un film

La Folie des grandeurs, Gérard Oury (France, 1971)

Le film *La Folie des grandeurs* est né d'un défi que s'était lancé l'acteur Gérard Oury : adapter sous forme de comédie le drame romantique de Victor Hugo, *Ruy Blas* [1], qu'il avait joué à la Comédie-Française en 1960. C'était également pour lui l'occasion de réunir à nouveau un duo aimé du public : Bourvil et Louis de Funès, qui avaient connu un grand succès dans *Le Corniaud* (1965) et *La Grande Vadrouille* (1966). Ces retrouvailles à l'écran n'auront malheureusement pas lieu, puisque Bourvil meurt prématurément, avant le tournage. Gérard Oury maintient néanmoins le projet. Il choisit un nouveau comédien pour remplacer Bourvil au pied levé : Yves Montand, un acteur dont le jeu est très différent, plus connu dans des rôles dramatiques. Gérard Oury récrit donc certains passages pour les adapter au style de ce dernier.

Il n'est pas toujours aisé de suivre le fil de *La Folie des grandeurs*, œuvre pleine de rebondissements rocambolesques [2] et de scènes burlesques [3]. On pourrait pourtant résumer l'intrigue ainsi : un valet, amoureux de la reine d'Espagne, veut à tout prix l'approcher et la séduire. Les situations stupéfiantes se multiplient pour la plus grande joie du spectateur, car Gérard Oury cherche moins à être fidèle à la pièce de Victor Hugo qu'à faire rire son public.

Le résultat est là et le duo de comiques fonctionne à merveille : les quiproquos [4], les jeux sur les mots, les onomatopées, les péripéties hilarantes et improbables sont les ressorts de cette comédie, que certains considèrent comme un chef-d'œuvre du rire à la française.

---

1. Cette pièce en cinq actes, jouée pour la première fois en 1838, met en scène des luttes pour le pouvoir en Espagne et une histoire d'amour impossible.

2. *Rocambolesques* : extraordinaires, invraisemblables.

3. *Burlesques* : grotesques, exagérées.

4. *Quiproquo* : malentendu, méprise par laquelle une personne ou une chose est prise pour une autre. C'est un procédé typique du comique de situation (voir l'encadré p. 74).

Le film se rapproche du genre de la farce : il cherche, comme ces pièces, à amuser à tout prix les spectateurs, sur des sujets parfois triviaux[1], mais sans perdre de vue la satire de la société – ici, comme souvent dans les farces, ce sont les puissants que l'on tourne en ridicule.

▦ Analyse d'ensemble

1. Le premier titre choisi pour ce film était *Les Sombres Héros*. Vous semble-t-il convenir ? Pourquoi ?

2. Que signifie l'expression « avoir la folie des grandeurs » ? Quel est le lien avec l'histoire du film ?

3. Relevez quelques scènes comiques qui vous ont marqué. Quels « gags » peuvent rappeler l'esprit de la farce du Moyen Âge ?

4. Y a-t-il des dialogues ou des phrases particulièrement drôles que vous avez retenus ? Citez-les : qu'est-ce qui provoque le rire dans ces passages ?

5. Comment qualifieriez-vous le personnage de don Salluste, incarné par Louis de Funès ?

6. Relevez les situations où les rôles se trouvent inversés et où le faible prend le dessus sur le plus fort (conflits entre maître et valet, par exemple). Quelle critique sociale ce film propose-t-il ?

▦ Analyses de séquences

La scène d'ouverture (de 00.00.22 à 00.09.14)

1. La musique est signée Michel Polnareff, plus connu pour ses disques de variété française. Pourquoi peut-on dire qu'elle donne le ton de la parodie ? Quel autre genre cinématographique évoque-t-elle ? Pourquoi cela produit-il un effet comique ?

---

1. *Triviaux* : ordinaires, de faible importance.

2. Le film se passe au sud de l'Espagne, dans la province d'Almería. Que pensez-vous des décors ?

3. Gérard Oury s'est beaucoup inspiré, pour les costumes, de la peinture de Vélasquez. Faites des recherches sur cet artiste : à quelle époque et dans quel pays a-t-il vécu ? Cherchez, sur Internet ou au CDI, des reproductions de ses tableaux, puis comparez les deux univers : quels rapprochements pouvez-vous faire entre *La Folie des grandeurs* et les œuvres de Diego Vélasquez ? Qu'est-ce qui les distingue ?

4. À quel moment les costumes font-ils rire ? Pourquoi ?

5. Montrez que Blaze, le valet, est impertinent [1] et rusé.

6. Pourquoi peut-on parler de retournement de situation ? Qui commande à qui ?

Le réveil (de 00.18.46 à 00.22.34)

1. Cette scène réunit toutes les formes de comique (voir l'encadré p. 74). Donnez des exemples, dans ce passage, de chacun des quatre types de comique.

2. Pourquoi les attentes de don Salluste sont-elles déçues ?

3. Cette scène est rejouée plus loin dans le film (de 01.23.29 à 01.25.20). Pourquoi peut-on dire qu'il s'agit d'une vengeance ?

---

1. *Impertinent* : voir note 1, p. 74.

Petit glossaire du théâtre

ACTEUR : personne dont le métier ou la passion (selon qu'il est professionnel ou amateur) est de jouer un rôle sur scène, devant un public rassemblé.

APARTÉ : paroles que prononce l'acteur à voix basse afin que seul le public les entende.

COSTUME : vêtements que porte l'acteur pour jouer son rôle. Les costumes dans les spectacles du Moyen Âge étaient très sobres, et permettaient surtout aux spectateurs d'identifier immédiatement le rôle de chacun : une peau de mouton pour le berger, une chasuble pour le prêtre...

COULISSES : endroit réservé aux acteurs pour entreposer leur matériel. Les farces étaient jouées sur des estrades de fortune, sur une place ou sur le parvis d'une église, par conséquent les coulisses se réduisaient à l'espace situé sous les planches, parfois simplement protégé par un rideau.

DÉCOR : ensemble des objets, des meubles, des tentures placés sur scène. Dans les farces, le décor est constitué de quelques objets symboliques, par exemple le cuvier.

DIDASCALIE : indication donnée par l'auteur, qui renseigne l'acteur et le metteur en scène sur le ton de la voix, les gestes, le décor... Au Moyen Âge les didascalies sont très peu nombreuses, et les acteurs improvisent beaucoup.

DRAMATURGE : celui qui écrit les pièces de théâtre.

METTEUR EN SCÈNE : celui qui dirige les acteurs et met le texte en scène.

MONOLOGUE : discours que prononce un acteur quand il est seul sur scène. Il donne l'impression de penser à voix haute. Le monologue sert à informer le public des intentions et des sentiments de tel ou tel personnage.

RÉPLIQUE : réponse d'un personnage à un autre.

RIDEAU : grand morceau de tissu qui permet de dissimuler la scène ou les coulisses aux yeux des spectateurs.

TIRADE : long discours prononcé sans interruption par un des personnages face à un autre personnage.

TRÉTEAUX : planches sur lesquelles étaient jouées les farces. L'avantage d'une telle installation est qu'elle pouvait se démonter, ainsi les bateleurs pouvaient-ils facilement jouer de ville en ville.